書林攬勝

臺灣與美國存藏中國典籍文獻概況
——吳文津先生講座演講錄

淡江大學中國文學系主編

臺灣 學生書局 印行

作者簡介

吳文津　原籍四川成都。肄業重慶中央大學，青年從軍，後派美國爲中國空軍訓練節目任翻譯工作。戰後留美，就讀於華盛頓大學及史丹福大學，修圖書館學及歷史學。先後任史丹福大學胡佛研究院東亞圖書館館長及哈佛大學哈佛燕京圖書館館長。曾任美國亞洲學會東亞圖書館委員會主席，OCLC CJK Users Group 主席。並獲華盛頓大學圖書館學院傑出校友獎，美國亞洲學會傑出貢獻獎，及 OCLC 傑出服務獎。有關東亞圖書館學及民國政治史專著及論文多種。

吳哲夫　台北縣人，政大文學學士、碩士，現任淡江大學教授，曾任故宮博物院研究員、處長等職。著作有《清代禁燬書目研究》、《四庫全書薈要纂修考》、《故宮宋本圖錄》、《書的歷史》、《版畫的歷史》、《圖書與圖書館利用法》、《四庫全書纂修之研究》、《中華五千年文物集刊版畫篇》等書，另撰有學術論文百餘篇，又主編《中華五千年文物集刊》、《四庫全書補正》、《故宮藏書目錄》、《二千年人類文明大事紀要》等書。

盧錦堂　廣東省順德縣人，民國三十七年生。政治大學中國文學研究所博士班畢業。曾任國家圖書館特藏組主任，現任漢學研究中心資料組組長。

吳政上　台灣省桃園縣人，民國四十七年生。輔仁大學圖書館學系畢業，歷任輔仁大學人文科學圖書館館員、中研院史語所傅斯年圖書館主任。現任中央研究院數位典藏國家型科技計畫共同主持人。編有《經義考索引》、《笠詩刊三十年總目》等書，論文有：〈《永樂大典》校補《四庫全書》本的價值——以宋周必大《辛巳親征錄》爲例〉等篇。

序

在網路的虛擬世界裡，人與人之間的互動越來越密切，足以使得無遠弗屆的世界可以在彈指之間莫得遁隱。對於知識經濟而言，能夠快速擷取所需的最新資訊著實是件令人快慰可喜的事情。然而對於文物典藏價值而言，古籍文獻的維護保存則是學術文化界無可旁貸的歷史使命。

人類文明發展的進程可以分成縱橫兩方面的交織。在縱的方面，力求連貫性，務必能集古聖先賢的智慧爲今世所用；在橫的方面，注重交互性，追求須讓各地的文明相互傳播而造福民生。我校覺生紀念圖書館與文學院的漢學研究中心及中文系一向合作無間，共同目標就是要使圖籍資料的保存與應用，能夠在文化發展的縱橫之間達於有效融合的極致。

圖書館具有維護學術資源與蒐羅學術資訊兩大功能，雖然時時精益求精，但要如何超越現狀，則始終是工作上全力以赴的總目標。至於文學院爲配合學校的研究發展成立漢學研究中心，藉從文獻學角度進行漢學資料的整合工作，既要肩負傳承文化的責任，又要發揮拓展文化再造的功能，文獻學的探究不能夠閉門造車，也不能邯鄲學步，惟有透過理論與實務的結合，借重學術研討會的互動與專家學者的經驗分享，才能爲文獻資源開創康莊大道，并有助益於當今社會。誠如吳文津教授所說：「圖書館的發展跟教學及研究的發展有不可分割的關係」，因此，中文系與圖書館合作舉辦此次研討會，期能在超越現狀與開創資源的前提下，使文化的縱橫之間達到有效的融合。

吳教授專治歷史學與圖書館學，學養深湛，融會史學的宏觀與圖書館學的微觀，主持哈佛燕京圖書館數十年。期間廣蒐中文善本書、地方志以及現代史料等珍貴典籍文獻，不僅奠定了哈佛燕京圖書館在中文館藏方面的學術地位，并爲炎黃子孫維護了寶貴的文化遺產，更爲人類文明進行了最好的再造與傳播。其心其力令人敬佩，洵爲學者典範。

職此，此次舉辦文獻學的學術研討會，謹以吳文津教授講座爲名，邀請吳哲夫、盧錦堂、吳政上三位專家學者發表專題論文六篇，并將結集命名爲《書林攬勝：台灣與美國存藏中國典籍文獻概況——吳文津講座講演錄》，藉申對吳教授在圖書館學成就與奉獻的誠摯敬意。講座期間，承吳教授不遠千里，躬親主持；并獲諸位學者先進共襄盛舉。其厚意隆情不僅是我淡江師生的榮幸，更是鼓勵我校圖書館發展與文獻學研究的策勵。

茲值付梓之際，略述始末，并謹表示由衷的感謝。

黃鴻珠

書林攬勝：臺灣與美國存藏中國典籍文獻概況——吳文津先生講座演講錄

目　次

美國東亞圖書館蒐藏中國典籍之緣起與現況

司　儀：

歡迎蒞臨淡江大學重點系所短期講學——吳文津教授學術講座，講座開始。請主辦單位淡江大學中文系系主任高柏園先生致辭。

高柏園教授：

吳老師、院長、以及各位先生、各位女士大家早。這次我們非常榮幸能夠請到吳文津老師來我們學校作專題講座，我們感到非常榮幸、也非常高興。事實上這次整個講座的推動是有一個非常重要的理念在支撐著，自從我們淡江大學中文系成立了漢學資料中心，後來改成了漢學研究中心以後，我們的著重點就在希望能從文獻學的角度作漢學資料的整合工作，因此我們與圖書館界的朋友都一直保持著密切的聯繫。

這次這個講座主要是由我們圖書館的館長黃鴻珠黃館長來作一個發動，而我們中文系則主要由周彥文周教授來支持，是由中文系與覺生圖書館聯合舉辦的，當然講學的人選也都是由黃館長與周教授聯合推薦，我們非常、非常榮幸能夠請到吳文津吳老師前來，吳老師是美國哈佛燕京圖書館的館長，對於無論是西方或中國在文獻資料方面的管理，都可謂是權威。所以我們這次有這樣的榮幸能夠請到吳老師前來，可以說是非常非常的高興。

我們剛才在樓下就遇見了吳老師，事實上昨天周老師也陪吳老師吃飯，吳老師非常開朗、也非常健談，所以我們很希望各位同學與老師能夠把握吳老師在淡江的這幾天，多找機會向吳老師請益，我相信吳老師都會很樂意與各位作一些意見的交換。而在我們開始之前，我想先請黃院長爲我們致辭，我們掌聲歡迎院長。

黃世雄院長：

吳教授、高主任、周老師、黃館長，各位同仁、各位同學大家早。我今天非常高興能夠與吳教授再次見面，上次見面大概是一年以前了。我與吳教授的相識是在很早之前，第一次我見到他大概是在1965年，他剛到哈佛燕京圖書館的時候，當時他不認識我，我只是學生，去哈佛燕京圖書館參觀，而且特別去拜訪過他。之後，他待在哈佛有三十年以上的資歷，其中我斷斷續續去過圖書館好幾次，每次都會去拜訪他，對他感到非常敬佩。

吳教授早期在大陸重慶受教育，後來就在美國華盛頓大學以及史丹佛大學拿到碩士與博士學位。吳教授專攻圖書館學與歷史學，尤其在離開學校後就在史丹佛大學圖書館擔任主管的工作，之後大概在1965年到了哈佛燕京圖書館。我在他上任的第一年就前去拜訪哈佛燕京圖書館而碰到了他。之後吳教授也經常回到台灣來，與台灣圖書館界以及文學界的學者建立了很深厚的友情，不管在台灣或在美國，我們都經常聚會，所以每次看到他我都覺得非常溫馨，因爲吳教授看來就是一位很溫文儒雅、很有學養的一位學者專家。

吳教授是哈佛大學哈佛燕京圖書館的第二任館長，哈佛大學總共有九十幾個圖書館，哈佛燕京專門收藏東方的資料，包括了中國、日本、韓國、越南等地的資料，這些都是哈佛燕京的主要館藏。爲何稱爲「哈佛燕京圖書館」呢？因爲這個圖書館是哈佛大學與過去中國的燕京大學共同合作設計的哈佛學社之下的一個圖書館，第一任館長是裘開明先生，他任職了三十年以上，之後就由吳教授接任，1997年之後再由現任館長鄭炯文先生接掌。

哈佛燕京是我每次到美國東部一定會去參觀的地方，因爲哈佛大學豐富的學校設施實在非常吸引我，所以我每次都會順路前去逛一逛、看看老朋友。哈佛燕京圖書館具有非常豐富的中文館藏，是在亞洲地區以外屬一屬二的，可與美國國會圖書館相比，尤其是善本書、地方志以及現代史料的收藏。而在這部份吳館長的貢獻很大，哈佛燕京圖書館之所以擁有現在如此豐富的館藏，是吳館長花了很多的心血搜購、建立起來的。

我過去一直有一個想法，認爲爲什麼我們中國的文物會有那麼多流到外國去，因而心裡面有點難過。可是後來我的想法改變了，其實這些是全人類的資產，而且放在美國可能比放在中國來得好，因爲像我們台灣的故宮博物院，很多文物都存放在山洞裡面，你要使用的話要花上一些手續。但是在美國則完全是公開陳列的，以供人欣賞、供人研究，也不會讓人覺得這是美國的文化、美國的文物，中國的文物就是中國的。所以我覺得這樣也蠻好的，全人類的資產全人類都可以保存，所以吳教授花費了很大的心血建立起今天的哈佛燕京圖書館，實在是令人敬佩。

今天我們非常難得有機會請到吳教授前來，因爲目前吳教授退休了，所以才比較有時間，倘若吳教授還是哈佛燕京圖書館的館長的話，我想我們是很難邀請到他的。所以我們非常榮幸、也非常高興能夠請到吳教授來與大家見面，我想他一定會爲大家帶來內容很豐富的、有關哈佛燕京圖書館對人類世界的貢獻的講學。在此我們用熱烈的掌聲歡迎吳教授。

高柏園教授：我們謝謝院長。由於院長與吳教授算是老朋友了，所以介紹起來如數家珍、非常精采。我們再請黃館長和各位講幾句話。

黃鴻珠館長：吳教授、高主任、院長，各位老師、各位同學大家早安，非常榮幸這次能與中文系合作邀請吳教授到台灣來。當初我們在商談時就有這樣的理念，在網路世界底下，地球越來越小，大家的溝通越來越密切。每次召開國際會議時，我都非常佩服中文系，因爲他們能夠不斷邀請各國學者前來，也非常榮幸我能在中文系開設一些課程與各位共同研討。

我們都有一個共同的心願，就是希望能幫助國內的學者在研究或準備論文或教學方面與國際接軌。換言之，就是藉由國際會議的討論而能掌握全球的資訊，剛剛黃院長也提到，海外的眾多資料，如美國國會圖書館、哈佛燕京圖書館的收藏都非常豐富。而台灣由於政治的因素，有一段時間是空窗期，所以有很多資料是台灣的學者無法從國內掌握的。爲了讓台灣的學者能夠躍上國際舞台，掌握國際資料，所以我們非常榮幸能夠請到世界知名圖書館的經營者將經營的經驗帶給我們。

我每次參觀哈佛燕京圖書館都會有不同的感受，最近一次的拜訪是在去年。我第一次去哈佛燕京是在1981年，當時我們承蒙吳館長的熱情接待，我們心裡都非常感恩，我與同仁們第一次到美國受訓時，受吳館長與他的同仁非常熱情的招待，所以我們銘感在心。除了感恩於他在海外對於台灣學子的接待外，更感佩他在海外的環境下，蒐集的資料比台灣還豐富，尤其他們所蒐集到的資料有很多是台灣所不及的，每一次聆聽他的講解，我都覺得是勝讀二十、三十年書。因此今天很希望能將我們從吳教授那邊得到的，吳教授也能在這裡與各位分享。這是一個非常難得的機會，所以我除了感謝之外，還是再感謝吳教授能撥空與我們共享。

高柏園教授：

非常謝謝黃館長。我們的院長與館長發言過後，同樣也請吳哲夫吳老師講幾句話。

吳哲夫老師：

院長、館長、主任，我今天非常的高興、也很慚愧受邀來陪吳教授與大家見面，吳教授是我非常景仰、也非常熟悉的朋友，只要是重要的漢學會議，吳教授幾乎每一次都躬逢其盛，我們這種因開會而見面的機會大概有十次以上，不論是在台灣、日本、韓國、大陸、甚至是在美國都可以見到吳教授的蹤影，可見他對學術資訊的重視。

我想起民國69年（1980年），普林斯頓大學請我前去編目，普林斯頓的東方葛斯德研究所在美國也是蒐集東方資料的重要圖書館，第一任的館長是胡適之先生。胡先生當時說：爲什麼我辭掉美國大使館的工作，來這裡作一年的館長，就是要把這裡的基礎打好，就是希望中國文化能在美國有一個開拓，將來中國文化是要走出去的。在北美洲有三個收藏東方資料的重要據點，一個是美國國會圖書館，一個是哈佛燕京圖書館，一個就是普林斯頓葛斯德圖書館，大家都曉得吳教授在美國經營哈佛燕京圖書館，對中國文化的愛護、對人類資產的維護、對人類文明的傳播，眞是不遺餘力，是非常了不起的。

學術資源與學術資訊確實非常重要，人類文明有兩方面，一種是縱的連貫性，古人的東西我們今人可以享用，一種是橫的交互性，甲地的文明乙地能夠享用。吳教授把我們中國好的東西傳播出去，其目的不只在於傳播，而更覺得後人對前人文化的再造，以及與其他地區文化的融合、再生，對人類文化是更有意義、更有價值的。所以吳教授在哈佛燕京圖書館工作了很長的時間，到他六十五歲時哈佛燕京仍然不讓他退休，一直到吳教授七十五歲左右才捨得讓他離開，這是非常了不起的，在外國假如你眞的夠能幹、有專業精神、有專業熱忱，他們都是會對人才極力重視維護的，所以吳教授實在是我們做事情、做學問的表率。

高柏園教授：

我們非常謝謝吳哲夫老師，今天早上我們與吳老師一起從會文館散步過來，館長與吳老師走在前面，我與周彥文周老師走在後面，館長就與吳老師談到搭飛機的狀況，吳老師就說他覺得很好呀，搭十幾個小時的飛機回來睡一覺就沒事了，可見吳老師的精神與意識之旺盛，實在是很讓我們佩服的，所以我們常跟系上老師說，出國開會應該要有吳老師的精神，十幾個小時的飛機睡一覺就沒事了。我們非常謝謝吳老師，這一次圖書館方面給予我們非常多的協助與指導，我們也非常感謝。整個大會的開幕就到此結束，接下來請司儀把下面的議程作一個簡單的報告，然後就請吳老師進行專題講座，謝謝。

司　儀：

開幕典禮結束，專題演講開始，恭請吳文津教授進行專題演講。

吳文津教授：

黃院長、黃館長、吳教授、高主任、周彥文老師、各位老師、各位同學。剛才對我的介紹實在是過獎，我很不敢當。這次能到淡江來和大家見面，分享我這幾十年來在圖書館工作上的一些的感受與觀察，感到非常榮幸。以前我到淡江來參觀過好幾次，在朱立民教授擔任副校長的時候我也來過。我和朱教授是很好的朋友，我們在重慶中央大學是同班同學，也同時參加青年軍服役。一起派去作翻譯官。我們在昆明服役的時間最長。他在昆明參謀作戰學校任翻譯官隊長，後來調到緬甸，我接他的職位。後來一直沒有見面。直到戰後才知道他在臺灣，於是又和他聯絡上了。之後我們來往很密切，不論他美國唸書或我到臺灣來，我們都會相聚。所以我覺得因爲他，我和淡江也沾上了一些間接的關係，而這次我被邀請到此地來擔任講座，我覺得跟淡江的關係就更密切了。

這次我來演講的三個題目，是在淡江指定的範圍內由我選擇決定的。今天要講的是「美國東亞圖書館蒐藏中國典籍之緣起與現況」，明天講「哈佛燕京圖書館簡史及其中國典籍收藏概況」，後天講當代中國研究在美國的資料問題。我希望能在這三個主題之下和大家交換意見，還希望大家能夠多多批評指教。我並且希望每一次講完後大家可以提出問題來，我知道的可以立刻答覆，我不知道的回去以後再作書面的答覆。

美國現在有六十幾個東亞圖書館在收集中文資料，這次我選當中十一個是最重要的作一個報告。這十一個當中有美國國會圖書館、耶魯大學圖書館、哈佛燕京圖書館、哥倫比亞大學圖書館、普林斯頓大學圖書館、康乃爾大學圖書館、芝加哥大學圖書館，西雅圖華盛頓大學圖書館、史丹佛大學胡佛研究院的東亞圖書館、和加州大學圖書館。因爲有這許多圖書館，所以我只能爲每一個做些簡單扼要的介紹。但是國會圖書館的中文部和胡佛研究院東亞圖書館這兩處我會講得多一些，因爲國會圖書館是美國第一個收集中文資料的圖書館，也是現在西方最大的收集中文資料的圖書館，胡佛研究院的東亞圖書館則是因爲我在那裡工作了十四年，所以我知道比較多，也稍微多講一些。明天則專門講哈佛燕京圖書館，因爲像剛剛黃院長所說，我在哈佛燕京圖書館服務了三十二年，所以知道的也比較清楚。

圖書館的發展跟教學及研究的發展有不可分割的關係，美國關於東亞方面的教學及研究雖然在十九世紀末期就已經萌芽，但是其眞正的發展是在第二次世界大戰後的事。二次世界大戰之前有少數大學開設了一些有關東亞的課程，但是並未受到很大的重視，教授和學生的人數很少，課程也只限於歷史與語文方面而已。第二次世界大戰以後，美國原本以西方文化爲中心的教育政策有了基本的轉變，從比較窄礙的西方唯尊的觀點轉變爲世界多元文化的觀點。在歐美以外的地區因而受到重視，特別是東亞。主要的原因是從1940年代到1950年代這短短十幾年當中，美國在東亞地區直接或間接地參與了若歷史上有轉捩性的重大事件，諸如太平洋戰爭，佔領日本，協調中國戰失敗，朝鮮半島分割爲南韓北韓，旋又參加韓戰抵制北韓和中共等。這一連串的事件提高了美國政府和民間對東亞地區的重視，同時也感覺到需要進一步了解東亞各國歷史與文化的迫切性。

於是美國各大學在私人基金會與聯邦政府的大力支持之下，陸續擴張或開創了整體性的——包括所有人文科學與社會科學——有關東亞各國教學的課程和研究的項目。在五十年後的今天，在這種有系統和加快步伐的發展下，美國在這方面的教學和研究在西方世界是範圍最廣、內容最豐富的。在這個發展過程當中，爲支援教學與研究的需要，美國圖書館在東亞圖書方面也跟著有顯著的發展。美國有些大學在第二次世界大戰以前就開始收集中、日文的書籍，其中並有非常珍貴的，一直到現在還是研究漢學不可或缺的典籍文獻。但是全面性的，普遍的，迅速的發展，還是第二次世界大戰以後的事。在二次大戰後的一二十年間，除早期已經成立的圖書館外，另外有些後來成　重要的東亞圖書館也在這個時期先後成立，諸如密西根大學的亞洲圖書館、胡佛研究院的東亞圖書館、加州大學洛杉磯分校的東亞圖書館等都是在1940年代末期建立的。其他如伊利諾斯、印第安那與威斯康辛的東亞館在1960年代才開始運作。所以說美國東亞圖書館的全面和迅速的發展是第二次世界大戰以後的事不是誇大其詞的。

根據公元2000年6月底的統計，全美東亞圖書館的總藏量如下（在準備這份講稿的時候，更新的2001年的統計還未完全發表）：

藏書總量

藏書總量（書籍）一千四百萬冊，其中中文書籍七百二十萬冊，佔總藏量的百分之五十一。現行連續性出版物，九萬七千九百六十種，中文四萬一千一百一十多種，佔總藏量的百分之四十六點二二。非書資料（其中縮影微捲、微片佔絕大多數，其他包括錄音帶、錄影帶、CD ROM、圖像資料等）一百八十一萬多種。其中中文的有三十三萬五千七百種，佔總藏量百分之三十一。

採購經費

1999到2000年會計年度，採購經費共計大約美金一千一百二十七萬六千多元，中文採購的金額不詳，因爲統計中不分語言計算，據估計中文採購經費大概佔百分之四十左右。

服務人員

全國六十多間東亞館約有五百多位圖書館服務人員。

從這些數字中可以見到東亞館對中文資料的重視。這些東亞館是如何開始以及它們如何發展到今天這樣的地步就是我今天所要講的題目。

美國圖書館中收集中文資料最早的是美國國會圖書館，它是在1869年（清朝同治八年）就開始收藏中文典籍，後來耶魯大學在1878年（清光緒四年），哈佛大學在1879年（清光緒五年），加州大學在1896年（清光緒22年）也都開始收集。在二十世紀上半紀，哥倫比亞大學在1902年開始、康乃爾大學1918年、普林斯頓大學1926年、芝加哥大學1936年也相繼開始收集。今天所要介紹的就是上述這幾個圖書館（哈佛燕京圖書館除外，那是明天的講題）以及在第二次世界大戰之後才成立的胡佛研究院東亞圖書館、西雅圖華盛頓大學東亞圖書館和密西根大學亞洲圖書館收集中文資料的起源、現況及其特徵作一個簡單、扼要的敘述。

國會圖書館

美國國會圖書館是美國收藏中文典籍的第一個圖書館，始於1869年。關於這件事，前芝加哥大學錢存訓教授曾於1925年在 *Harvard Journal of Asiatic Studies*《哈佛亞洲學報》第23卷（1965）撰文，有詳盡的敍述。文名「First Chinese-American Exchange of Publications」 後譯名爲〈中美書緣：紀念中美文化交換百週年〉收錄台灣文華圖書館管理資訊股份有限公司1998年出版錢先生所著的《中美書緣》中。另外一份資料也可供參考。就是現任國會圖書館亞洲部中文部主任王冀教授撰寫的一篇文章「The Chinese Collection in the Library of Congress: A Brief Introduction」〈美國國會圖書館的中文收藏〉，後來由國家圖書館吳碧娟女士譯成中文，發表在《國立中央圖書館館刊》新16卷第2期（1983年12月）。前些時候，王冀先生又略微修改了他的原稿，將中英文合刊，用其原來名字印成一部小冊，私人發行。除了這兩種資料外，關於國會圖書館中文部發展講述得最詳細的一部書，是從前台大教授胡述兆先生的專著 *The Development of the Chinese Collection in the Library of Congress* （Boulder, Colorado: Westview Press, Inc. 1979）《國會圖書館的中文藏書建設》。這三種資料是國會圖書館中文資料建設的前後過程最有權威性的著作。現在我就根據它們作一個簡要的敍述。

美國國會在1867年通過了一項法案，規定美國政府的出版品每一種需保留五十份，由史密桑學院（Smithonian Institution）負責與各國交換。咨會各國後，中國清朝政府並沒有回應。第二年，美國農業部派了一位駐華代表，負責收集有關中國農業的資料，這位農業代表到中國的時候，帶了五穀、蔬菜、豆類的種子，和有關美國農業、機械、礦業、地圖、和測量美國太平洋鐵路的報告書若干種，贈送給清廷，並且希望能夠得到同等的回禮作爲交換。但是當時的「總理各國事務衙門」、也就是當時清朝的外交部，沒有予以答覆。

過了一年，1869年（清同治八年）美國國務院應美國聯邦政府土地局的要求，令其駐華公使館向中國政府要求中國戶口的資料。美國公使也藉此機會，再向總理衙門提出圖書交換的要求。於是總理衙門才做出了決定，以相當數量的書籍和穀類種子作爲交換。這些東西在1869年6月7日（清同治八年四月二十七日）由總理衙門送到美國使館。國務院把其中的十種書籍交給史密桑學院處理，史密桑學院再轉存國會圖書館，於是完成了第一次中美圖書交換的工作。國會圖書館因而也成爲美國收藏中文典籍的第一個圖書館，這次首步交換給美國的書籍，一共有下列十種，共一百三十函：《皇清經解》道光九年（1829）廣東粵雅堂刊本360冊，80函、《五禮通考》乾隆十九年（1754）江蘇陽湖刊本120冊12函、《欽定三禮》乾隆十四年（1749）殿本136冊18函、《醫宗今鑑》乾隆五年（1740）北京刊本90冊12函、《本草綱目》順治十二年（1655）北京刊本48冊4函、《農政全書》道光十七年（1837）貴州刊本24冊4函、《駢字類編》雍正五年（1727）北京刊本120冊20函、《針灸大全》道光十九年（1834）江西刊本10冊2函、《梅氏叢書》康熙四十六年（1707）北京刊本10冊2函、《性理大全》明永樂十四年（1416）內府刊本16冊2函。

在這次交換之後到十九世紀末，除了在1879年購得前美國駐華公使顧盛（Caleb Cushing）所收集的滿、漢書籍二百三十七種約兩千五百餘冊（其中有太平天國的官書、清刻的多種地方志）以外，國會圖書館沒有添增其他的中國典籍。

到了二十世紀初葉，在1901年到1902年之間，另一位前駐華的公使羅克義（William W. Rockhill）將其收藏的漢、滿、蒙文書籍約六千冊，全數捐贈國會圖書館。1904年中國政府把運到美國參加聖路易士萬國博覽會展出的一百九十八種中國善本典籍也捐贈美國國會圖書館。之後在1908年，中國政府爲了表示感謝美國政府退還給中國還沒有動用的庚子賠款一千二百多萬美金，特派唐紹儀作爲專使到美國致謝，同時贈送給美國國會圖書館一部非常有價值的雍正六年（1728）在北京以銅活字印行的《古今圖書集成》全套，共五千零二十冊。

雖然有上述的這些收藏，當時國會圖書館仍然還是沒有建立一個有系統的收集中國典籍的政策。有系統的收集在1899年普特南（Herbert Putnam）任館長後才開始的。普特南任國會圖書館館長四十餘年（1899-1939），是一位非常有遠見的學者，也是一位非常有能力的行政人才。在他的任內，他全力以赴爲國會圖書館積極收集世界各國文獻典籍。在他的領導下，國會圖書館才開始有計劃的收集中國書籍。

當時美國的農業部對中國的農業發展頗爲仰慕，所以收集了很多有關中國農業方面的資料。因此，普特南也請他們爲國會圖書館收集中文書籍。這個任務當時交給農業部一位華裔名叫馮景桂（Hing Kwai Hung）的植物學家。在1913-1914這兩年當中，馮景桂替國會圖書館收集了大約一萬二千冊的中文書籍，立刻就增加了當時國會圖書館所有中文書籍的一倍，他所收集的典籍報了包羅萬象，其中叢書的種類特別多。在他之後，爲國會圖書館收集中文典籍功勞最大的是另一位農業部的植物學家施永格（Walter T. Swingle）。施永格非常欽慕中國文化。對中國的典籍有很大的興趣。在1917年到1927年這十年間，他曾去中國三次，爲國會圖書館收集中文典籍文獻，其數量達到六萬八千冊之多，其中多善本書、地方志、叢書以及很多國會圖書館在經史子集方面缺乏的古籍。

施永格很受普特南的信任，1927年普特南接受他的建議在國會圖書館成立中文部（Division of Chinese Literature），並聘請一位年輕的漢學家恆慕義（Arthur W. Hummel，1884-1975）負責管理。恆慕義是清史專家，他所編輯的 *Eminent Chinese of the Ch'ing Period （1644-1912）*，國會圖書館1943年出版，至今尙爲清人傳記的經典著作。這個中文部後來改名爲東方部（Orientalia Division）,也由恆慕義主持。後又稱亞洲部（Asian Division）,一直至今。恆慕義在國會圖書館從1927年任職到1954年，共二十七年，在他的任內國會圖書館東方部的典藏增加了三倍，大約從十萬冊到三十萬冊，這是國會圖書館收藏中文典籍的黃金時代，並使其成爲當時漢學研究的重鎭。

第二次世界大戰以後，國會圖書館藏書建設政策，有了基本上的改變。從艾凡思（Luther Evans）1945年就任館長以來，藏書建設工作的重點轉向新的，當代的出版品。古籍善本的採購當然受到很大的影響，就是新出版品中也限制於在採購時當年和兩年前出版的書籍。因此，近五十年來，除了一部份從其他政府機構轉移給國會圖書館的書籍以外，國會圖書館中文部所收集的資料與其他大學東亞圖書館所收集的資料並無不同，不像以前那樣特出了。

國會圖書館現藏中文典籍約七十九萬七千七百冊，新舊期刊共一萬二千種，縮影微捲一萬八千多捲，包括一千七百七十七捲國立北平圖書館在第二次世界大戰時運美由國會圖書館代爲保存的兩千八百種中文善本的縮影微捲、三百零五捲北平協和醫院中文醫學圖書六百五十四種的微捲，還有四十六捲由澳地利人駱克（Joseph Rock）收集的地方志所照成的微捲，日本所藏國會圖書館尙付闕如的三十七種中國方志的三十七捲微捲，以及近年從大陸購得的三百六十七卷代表一千多種中國家譜的微捲。目前國會圖書館每年收集中文書籍，包括爲數不小的交換品，大概有兩萬多冊。

國會圖書館所藏中國典籍的特色在於幾方面。第一就是善本。1957年國會圖書館出了一本原由北平圖書館王重民先生編撰、後由袁同禮先生校定的 *A Descriptive Catalog of Chinese Rare books in the Library of Congress*《國會圖書館所藏中文善本圖書目錄》，共著錄善本一千七百七十五種，其中宋刻本十一種、金刻本一種、元刻本十四種、明刻本一千四百三十九種、清刻本（順治，康熙，雍正）六十九種。套印本七十二種、活字本七種、抄本一百一十九種、稿本六種、日本漢文刻本十種、日本活字本一種、朝鮮漢文刻本三種、朝鮮活字本八種，還有一些日本和朝鮮的抄本以及敦煌寫本。另外還有明人別集二百二十六種、清人別集二十種（也是清初的），據說國會圖書館還有一些善本沒有收錄在這本目錄裡，所以目前收藏的總數可能在兩千種左右。

第二個特色就是中國方志。國會圖書館現藏的方志大約有四千種。1942年朱世嘉先生編纂了一本《美國國會圖書館藏中國方志目錄》*A Catalog of Chinese Local Histories in the Library of Congress*，當時所著錄的僅二千九百三十九種，故現在收藏的四千種的數字可能包括縮影微捲和複印本。朱氏目錄中收錄修於宋代的計二十三種、元代的九種、明代的六十八種、清代的兩千三百七十六種、民國時代的四百六十三種。方志中以河北、山東、江蘇、四川和山西的最多，各有二百三十種到二百八十種之多，山東方志共二百七十九種，其中將近一半（一百一十八種）是從山東藏書家高鴻裁處購得，其中有不少的稀有版本。四川的方志有二百五十二種，很多是駱克（Joseph Rock）在四川爲國會圖書館購買的。

第三個特色是《永樂大典》。大家都知道《永樂大典》與《古今圖書集成》是中國最著名的兩大類書。《永樂大典》的編纂始於明朝永樂元年（西元1403年），終於永樂六年（1408年），工筆手抄，共二萬二千八百七十七卷，裝訂爲一萬一千零九十五冊。明末火災，幾被焚毀，清末英法聯軍與八國聯軍之役復被掠奪，更所剩無幾。從原來的一萬一千零九十五冊到現在中外共存不到九百冊。目前流散在歐洲的集中在英國，有六十九冊，大英圖書館有四十五冊、倫敦大學亞非學院有三冊、牛津大學十九冊、劍橋大學兩冊。美國有五十二冊，其中國會圖書館最多，有四十一冊，其餘的在康乃爾大學華生圖書館（Wason Collection）六冊，哈佛燕京圖書館與普林斯頓大學圖書館各有兩冊，哈佛大學的善本圖書館（Houghton Library）也有一冊。今年年底大陸要召開關於《永樂大典》的國際會議，想在會議之後我們對於《永樂大典》在世界上各地分散的情形當有更進一步的了解。

第四個特點是叢書。國會圖書館所藏的叢書有三千多種，爲歐美各東亞圖書館之冠，可以參照的資料很多，如國會圖書館的中文目錄都可用以查詢。第五個是很特殊的資料，就是中國少數民族語言的典籍，包括滿文、蒙文、藏文的佛經和其他文獻，其中一批最特別的資料就是三千三百多冊的納西族象形文字的經典。納西又稱麼些，其族部處於雲南西北部、和緬甸與西藏交界的地方。從第八世紀到十八世紀是一個獨立的部落，之後爲清朝統治，麗江曾經是他們的首府，現在人口有二十六萬左右，都已被漢化。納西族只有象形文字，其經典是東巴（巫師）用以求神占卜、用於各種宗教活動使用的，至今已頗少見。國會圖書館這批資料是從駱克（Joseph Rock）與一位名叫昆亭·羅斯福（Quentin Roosevelt）—美國西奧多.羅斯福（Theodore Roosevelt）總統之孫——處收集來的。中央研究院李霖燦先生曾在《中央研究院民族研究所期刊》第六期1958年秋季號中介紹了這批資料。三年前國會圖書館聘請了雲南省博物館納西文專家朱寶田教授到美國來整理這批資料，並且依照朱教授前時在哈佛大學爲哈佛燕京圖書館所編的納西文經典目錄的格式，替國會圖書館做一套類似的目錄。這項工作已在去年十月間完成。據稱，國會圖書館現正計劃把這批目錄掃描上網，以供研究使用。

再者，從1953年到1960年這七年當中國會圖書館中文部將其所藏有關中國法律的書籍全部轉移給國會圖館的法律圖書館保管。同時有關中國農業技術、臨床醫藥的中文書籍，也分別轉移到美國國家農業圖書館與美國國家醫學圖書館收藏。所以，現在，美國國會圖書館中文部並已不復再行收集這些方面的資料。

我報告了很多關於國會圖書館收藏中國典籍的歷史和現況，因爲國會圖書館中文部是美國東亞館中最重要的一所圖書館，也是美國收集中文典籍的第一個圖書館。所以是值得大書特書的。今天我要介紹的還有另外九個東亞館。我想最好的辦法就是依它們開始收集中文資料的年份來依序作較爲簡單的敍述。

耶魯大學

耶魯大學在國會圖書館收集中國政府交換書籍的九年以後，在1878年也收到一批中國的古籍，成爲美國第一所收集中文典籍的大學圖書館。這批典籍包括一部光緒二十年（1894年）上海同文書局印行的五千零四十冊的《古今圖書集成》，以及其他三十四種、一共一千二百八十冊的古籍，這些古籍是耶魯大學一位校友、當時任中國駐華使館的副公使容閎贈送的。

容閎（Yung Wing）是在中美文化交換上一位很重要的人物。他是廣東香山人，於1828年出生，1912年逝世，幼時候在澳門和香港教會學校唸書，道光二十七年（1847年）他十八歲的時候，被學校保送到美國唸書。他於1854年在耶魯大學畢業，成爲中國第一位在美國大學畢業的留學生，後來他受到曾國藩與丁日昌的賞識，採納了他的建議，選派青年學子到美國留學，同治十一年（1872年），第一批學生派到美國去，容閎任監督，是中國公費留學生的開始。

容閎捐書給耶魯大學圖書館之後，在1884年耶魯大學圖書館又收到前美國駐華公使、耶魯大學第一任中國語文文學教授山姆・威廉斯（Samuel Williams）遺贈的他生前所收藏的全部中文古籍。後來又陸陸續續收到其他的贈送書籍，所以耶魯大學收藏中文典籍的工作就慢慢地發展起來了。1961年，耶魯大學成立東亞學術研究委員會（Council on East Asian Studies），中文藏書建設的工作才開始更有系統的、積極的、不斷的增強。耶魯大學現藏中文書籍有四十一萬三千冊左右，現行中文期刊一千六百二十種，另外還有中，日，韓縮影微捲與非書資料一萬餘件（中文數字不詳）。現每年入藏中文出版品約六千三百餘冊。

館藏最特出的資料是太平天國文獻。這批文獻是聞名的太平天國學者簡又文教授所贈。簡教授1964-1965年受聘為耶魯大學歷史系研究學者。之後他將歷年收藏有關太平天國的資料，包括書籍雜誌320種及拓片，銅幣，印章等全部捐贈耶魯大學圖書館，是一批非常珍貴研究太平天國的第一手資料。其他如明清小說，亦頗有特出者，館藏明清刻本五十九種中有通俗小說二十種，其中有罕見者，如明遺香樓刻本《三國志》，明郁郁堂刻本《水滸四傳全書》，清乾隆五十七年程偉元元萃書屋木活字印本《石頭記》，及清初刻本《金瓶梅》等。

加州大學

我現在所講的加州大學是指 Berkeley 的本校。因爲加州大學除了本校之外還有九個分校，是美國州立大學系統中最大的學校。加州大學在1896年設立中文講座，聘英人傅蘭雅（John Fryer）爲講座教授。傅氏原在北京總理衙門創辦的同文館（College of Foreign Languages）任教，後轉上海江南機器製造局（Kiangnan Arsenal）任翻譯工作，從1867年到1896年達三十年之久。他到加州大學就任時，把他自己私人的中文藏書以及全部江南機器製造局印行的兩百多種西方著作的中文翻譯，共兩千餘冊——其中包括科學、歷史、地理、國際公法等——全數捐贈加州大學圖書館，這就是加州大學收藏中文典籍的開始。

但是在傅蘭雅先生捐贈這批書籍之後的幾十年當中，加州大學並沒有新增的收藏。一直等到1916年，江亢虎先生來加州大學接任中文講座。江亢虎，江西上饒人，是中國最早提倡社會主義的學者，也曾在北洋編譯局任總辦、兼《北洋官報》的總纂。他在加州大學時，將他從中國帶到美國來的他父親收藏的中文典籍一萬三千多冊捐贈加大圖書館。他的父親江德宣，是光緒十二年的進士，他的收藏中有不少有價值的古籍善本，這一批資料爲加州大學中文藏書奠下了非常好的基礎。

續任江亢虎先生職位的是一位名叫湯瑪斯·威廉斯的先生

（Edward Thomas Williams），他也捐贈了一批書籍給加州大學，後來管理加州大學中文古籍的 Michael Hagerty 和 Diether von den Steiner 也採購了一些。雖然有這樣的開始。但是加州大學一直到1947年正式成立東亞圖書館後，才開始積極從事於中文典籍的藏書建設工作，以人文科學方面，尤其是語言、文學、歷史、考古學爲其收集的重點。但是1949年以後中國大陸出版的社會科學方面的書籍，收集的就非常有限，主要是由加州大學的中國研究中心的圖書館來收集。東亞館只是負責收集1949年以來大陸出版的人文科學方面的書籍。這種分工合作的藏書建設的工作模式在美國大學圖書館中還是不常見的。關於中國研究中心圖書館的狀況我在下面再行介紹。

加州大學現藏的中國典籍約三十七萬五千冊，現行中文期刊兩千零四十餘種，縮影微捲及非書資料不下詳（中、日、韓文資料總計約七萬一千種）。近年來每年入藏書籍約一萬五千冊。

館內特藏有下列各種：第一是剛剛已經提到的江南機器製造局翻譯的書籍，這批兩千餘冊的資料，是西方世界中最完整的一套。第二是拓本，加州大學圖書館有三千多件拓本，是西方圖書館中數量最大的一批。他們前些時候與中央研究院史語所合作，已經完成整理、編目的工作，據稱，這批資料將數位化上網，公開使用。第三是善本，加大收藏的善本不多，但其中頗有珍貴的典籍。宋刻本有六種、元刻有十種、明刻三百五十六種、清初刻本六百多種。還有一批抄本，有二十餘部，大部分是藏書家劉承幹嘉業堂舊藏，是非常珍貴的一批資料。另外還有滿、蒙、藏文的典籍，約有一萬冊左右，其中蒙、藏文的書籍較多。

加州大學中文研究所的圖書館成立於1958年，與加州大學的東亞館分工合作。他們專門收集1949年以後大陸出版的有關社會科學方面的書籍，特別是中共黨史及有關1949年以來大陸上的各種政治運動、經濟社會發展、軍事外交的資料。各種年鑑、新地方志，以及各種《文史資料》等出版品都在收集之類。除了中文書刊報紙外，他們也收集很多英文的關於當代中國的書刊。該館最獨特的收藏是它的兩千多種錄影帶，包括十五年來每天兩個鐘頭的北京中央廣播電台的新聞廣播和大陸的紀錄片。這些都是研究「當代中國」非常重要的資料，因爲它們的收藏，使這個圖書館成爲一個研究當代中國的重鎮。

哥倫比亞大學

關於哥倫比亞大學收藏中文資料的起源有一個傳奇的故事。1901年哥大有一位校友卡本提亞將軍（General Horace W. Carpentier）捐給他的母校二十萬美元，成立一個「丁良講座」講授中國文化。他捐錢成立這個講座的目的是用來紀念他的一位名叫丁良（Dean Lung）的中國傭人。傳說是這樣的：Carrpentier 在十九世紀美國西部掏金熱的時代致富，後來在紐約從事地產生意又非常成功。可是這個人的脾氣很暴躁，有一次他因故不滿跟隨他多年的中國傭人丁良，一怒之下就把丁良辭掉了，並命令他馬上離開。第二天早上當他起床的時候，丁良已經走了，但是他在走之前還是照常把 Carpentier 的早飯做好，放在桌上。Carpentier 看了，大爲感動，認爲丁良這種忠誠和寬容大度是受了中國文化熏陶的緣故，很值得學習。所以他就決定捐贈一筆基金給哥大來促進哥大在中國文化方面的教學。除了 Carrpenter 的錢之外，丁良自己也捐出了一萬兩千元，於是就成立了「丁良講座」（Dean Lung Professorship）。第二年，哥大用這筆基金的一部份成立了一個中文圖書館。同年，清朝政府應哥大校長的要求，贈送了一部光緒二十年（1894）上海同文書局印行的《古今圖書集成》一套，是爲哥大收藏中文典籍的開始。

「丁良講座」成立以後，哥大聘請英國劍橋大學傑爾士（Herbert Allen Giles）教授作短期講學並負責籌備成立中文系的工作。傑爾士介紹了一位德國的漢學家，慕尼黑巴瓦維亞科學院何斯（Friedrich Hiith）教授在1903年該系成立時任第一任「丁良講座」教授。

由於這個講座的成立，爲教學的需要，圖書館資料的採購遂成爲非常迫切的問題，但是在這方面的工作進度非常緩慢。1920年，哥倫比亞請當時在中國爲國會圖書館收集書籍的施永格（Walter Swingle）先生也替他們作採購工作，而買入了一些。1929年，哥大王際眞教授也替哥大圖書館在中國買了些古籍。1940年代，哥大得到洛氏基金會的補助，又添了不少的中文書籍。經過這幾次的蒐購，哥大的中文藏書在1942太平洋戰爭開始時，就已經超過十萬冊了。不過之後的十幾年當中，一方面是因爲戰爭的關係，一方面是因爲經費的不足，哥大的中文書籍採購沒有什麼特別的進展。一直到1960年代，哥大積極擴張關於東亞方面的教學與研究工作，中文書籍的收藏也就跟著活躍起來了。

哥大現存的中文藏書約三十四萬一千冊左右，現行中文期刊三十八種，縮影微捲一萬八千卷，現每年入藏的中文書籍八千餘冊。

哥大的特藏是族譜，有一千零四十多種，這是在西方大學當中最多的一批中國族譜。還有一批與族譜有關，但是一般圖書館不太注意收藏的資料，那就是行述、事略、榮哀錄之類的東西。哥大有一批文獻稱　「傳記行述匯集」，有兩百零十種，分裝成十九函，時代從清代到民國，有刻印的、也有鉛印的。這類資料的研究價值很高，因爲有些不見經傳而在地方上較有地位的人物的傳記在這些資料中大都可以找到的。

還有一批資料也是哥大館藏的特色，就是清代的曆書。清代避高宗（乾隆）「弘曆」諱，所以曆書就改稱爲「時憲書」。這些資料哥大收藏了很多，是從乾隆到宣統朝的。乾隆時期缺的較多，因爲時間早，但是在嘉靖朝二十五年當中只缺兩年，而從道光到宣統這九十一年當中則一本也不缺，所以這是一批是極爲罕見的資料。另外還有「會試卷」，哥大藏有「鄉會試朱卷匯集」，約四百冊，是其他圖書館所沒有的。哥大所藏的方志、叢書以及明清文集數量也都不少。

哥大還有一批對於研究民國史非常重要的資料，就是哥大的口述歷史檔案，這批資料不在東亞館，而在哥大圖書館的特藏部中。這個口述歷史節目（The Chinese Oral History Project）是1958年開始，由韋慕廷（C. Martin Wilbur）及何廉教授主持。當時居住在紐約市區的一些民國時代的在政治、經濟、文化方面的名人都是被訪問的對象。訪問口述的稿子由被訪問人過目同意後，再翻譯成英文供學者研究使用。這些稿子長短不等，有幾百頁的，也有一、兩千頁的，大部分的現在都可以公開，但有一兩份是被訪者指定在其生前不可發表的，而有些是指定某部分需要暫時保密，因爲牽涉的人很多。被訪問的人包括張發奎、張學良、胡適、顧維鈞、孔祥熙、李漢魂、李璜、左舜生、蔣廷紱，吳國禎等。

康乃爾大學

民初時有許多中國學生在康乃爾大學就讀，其中很多人後來成爲五四運動的領導人物，諸如胡適之、趙元任、任鴻雋及其妻子陳衡哲、楊銓、陽杏佛等。這些人在康乃爾做學生的時候，曾捐贈三千三百五十種中文書刊給康乃爾大學圖書館，這是康乃爾大學圖書館收藏中文典籍的開始。

1918年，康乃爾有一位校友華森（Charles William Wason），在康乃爾設立華森圖書館，專門收集有關「中國與中國人」（「China and the Chinese」）的資料。華森，機械工程師，1884

年在俄亥俄州的克里夫蘭市開創電車，因以致富。1903年去中國旅遊，對中國發生了很大的興趣，於是就開始收集關於「中國與中國人」的各種資料，前後共收集約九千冊主要是英文的書籍。在當時這是最大的一批關於這方面的資料。他把這些資料全部捐贈康乃爾大學成立華森圖書館，並且捐了五萬元的基金作爲繼續採購之用。除了這批書籍，他還捐增了另外一批非常特別的資料，就是從一百五十種雜誌上所剪下的六萬二千篇關於中國的文章。這批資料一直到現在還是研究十九世紀末期到二十世紀初期有關中國問題的重要參考材料。他捐贈給康乃爾大學的書籍中有一些是中國典籍，包括三冊《永樂大典》。後來康乃爾的另一位中國校友，外交家施紹基又捐給康大三冊《永樂大典》，所以目前康乃爾大學是美國大學中擁有最多《永樂大典》的學校，一共有六冊。

華森圖書館的首任主任是 Gussie Gaskill 女士。在她三十六年任期以內（1927-1963）她不但繼續收集關於中國的西文書籍，並且大力擴張中文書籍的採購。她曾到中國數次，得當時北平圖書館袁同禮先生的協助，替康大收集了不少資料。到1960年，康大得到了美國教育部的補助，成立了一個東亞語文區域研究的節目，後來又得到了基金會的補助加強關於東亞的教學和研究，因爲如此，中文書籍的採購也就增加了不少。後來，由於基金會和政府的繼續補助，一個更積極，更有系統的藏書建設工作就開始進行了。在初期收集的重點是二十世紀上半期出版的現代文學，藝術，考古，語言學等的資料，後來收集的範圍又擴大了許多。

華森圖書現名華森東亞圖書館（Wason Collection on East Asia）。現藏中文書籍約三十三萬六千冊，現行中文期刊四千一百種，縮影微捲數目不詳（中、日、韓合計有三萬三千多種），錄影帶與電影片三百五十種——這也是較爲特別的，因爲別的圖書館通常不大收藏這些。每年入藏中文書籍約六千八百八十冊。

除了剛才提到了《永樂大典》之外，康大還有一些比較特別的資料，就是東南亞華僑的資料，因爲康大的東南亞教研節目在美國頗具盛名，所以華森圖書館也隨之收集了不少關於東南亞華僑方面的資料。另一種特別的收藏就是關於中國通俗文學、戲曲的資料，特別是二十世紀上半期的出版品。敦煌卷子的縮影微捲也是它的特藏。華森圖書館藏有大英圖書館和法國國家圖書館全部敦煌卷子的縮影微捲。如衆所周知，這兩個圖書館是西方世界中收集敦煌卷子最多的圖書館，康大所藏的這批縮影微捲是美國唯一的全套。

普林斯頓大學

普林斯頓大學的葛思德圖書館（Gest Oriental Library）也有它的一個傳奇故事。十九世紀末期有一個加拿大建築工程師葛思德（Guion Moore Gest），患青光眼，久治不愈。後來在北京遇美國大使館海軍武官義理壽上校（Commander Irvin Van

Gillis）。這位武官介紹他試用中國很有名的河北定州馬應龍眼藥。他一用之下果然有很大的功效。所以他對中國的醫藥油然起敬。於是交了一筆錢給義理壽，請他代爲收集中國的醫書，特別是關於眼疾方面的資料。

義理壽精通中文，而且經過長時期的學習與研究，對於中國古籍也頗有心得，所以他就辭掉了武官的工作，留在中國，娶了一位滿洲妻子，專門替葛思德收集中國典籍，除醫書以外，再包括其他的善本古籍。因爲收集的範圍擴大，收集品爲數眾多，且種類繁雜，所需的經費也愈來愈多，胡適之先生在1950-1952年任普林斯頓大學葛思德圖書館館長時，寫了一本關於葛思德圖書館的小冊子名爲 *The Gest Library at Princeton University*（英文，原載 *Princeton Library Chronicle*, v. 15, Spring 1954，有抽印本），其中有一段說:「從作爲一個嗜好開始，這個藏書工作變成了一種投資，不久對其創辦人又變成了一個負擔」（譯文）。因爲那時義理壽替葛思德購買的書籍已超過八千冊，需要管理和適當的儲藏空間。所以葛思德就決定把這些書運回加拿大，1926年寄存在 Montreal 的 McGill 大學命名爲「葛思德中文研究圖書館」（Gest Chinese Research Library）。到1931年它的藏書已經增加到七萬五千冊。1937年普林斯頓大學得洛氏基金會（Rockefeller Foundation）的資助，把這批書籍買下，在普林斯頓成立了「葛思德東方圖書館」，當時書籍總共有十萬二千冊，這是普林斯頓葛斯德圖書館的開始。

從1937年建館到1945年第二次世界大戰結束之間，葛思德圖書館對於中文典籍的收藏並不很積極。戰後由於學校擴充關於東亞的教學和研究範圍，葛斯德圖書館採購的工作也就隨之活躍起來，收集的範圍也擴大了，包括近代和現代東亞的社會科學方面的資料。因爲收集的範圍擴大，但是爲了保持葛思德圖書館的獨特性，普林斯頓的東亞館後改名爲「葛斯德東方圖書館及東亞文庫」（Gest Oriental Library and East Asian Collections）。但仍通稱爲葛思德圖書館。

該館現藏中文書籍約四十二萬五千冊，現行中文期刊兩千兩百七十種，縮影微捲兩萬三千種，每年入藏量約八千七百冊。

葛思德以中國善本著名。1946年北平圖書館王重民先生應普林斯頓大學的邀請，整理、鑑定了其所藏的善本書籍，完成了一部書志草稿，後來經台灣大學屈萬里教授校正，於1975年由臺灣藝文印書館出版了一本《普林斯頓大學葛斯德東方圖書館善本書志》，這是一部非常重要參考書。

葛斯德東方圖書館的善本書以明刻本最多，有一千零四十餘部、計兩萬四千五百冊，尙有宋刻本兩部、元刻本六部，醫書約五百種、雍正六年銅活字版的《古今圖書集成》一套，武英殿聚珍本《二十四史》一套，以及一些蒙文的佛經。葛斯德東方圖書館還有一件很有趣的「文物」，就是一件大的綢袍，裡面貼有用蠅頭小楷寫的七百篇八股文，爲科舉考試時代夾帶作弊之用的。

芝加哥大學

芝加哥大學在1936年成立遠東語文系和遠東圖書館，都由Herrlee G.Creel 教授主持。Creel 教授是中國上古史專家，所以對中國古籍的收藏特別注意。1939-1940年間他在中國收購了不少的這一類的資料。1943年又從芝加哥的Newberry Library購得 Berthold Laufer 十九世紀末期在中國爲該圖書館收集的中，日，滿，蒙，藏文的書籍共二萬一千餘冊，遠東圖書館的收藏遂蔚爲大觀。第二次世界大戰結束時，該館的總藏量已達十一萬冊左右，其中最多的是中國經學、考古學、和上古史的典籍。錢存訓先生1947年受聘主持該館，並兼任芝加哥大學圖書館學校教授，遠東圖書館的業務乃蒸蒸日上。1958年起更積極擴充，在原有的收藏範圍外，更加上社會科學和近代和當代的資料。

該館現已由遠東圖書館改名爲東亞圖書館。目前所藏中文書籍有三十五萬餘冊，現行中文期刊一千八百種，縮影微捲三萬五千捲，每年入藏中文書籍約七千冊。

特藏以中國經部經典最多，約一千七百多種，是歐美各大學之冠。方志兩千七百多種，並有明萬歷年間增刻的《大藏經》全套、七千九百二十冊，這是相當重要的資料。還有一些關於現代史的零星資料，包括1947年、1948年北京天津學生遊行示威時，反飢餓、反腐敗、反國民政府的原始傳單七十餘種，這些都是少見的資料。

胡佛研究院

胡佛研究院的全名是「胡佛戰爭革命和平研究院」（Hoover Institution on War, Revolution, and Peace）。1919年成立於史丹佛大學（Stanford University），原稱胡佛戰爭革命和平研究所與圖書館（Hoover Institute and Library on War, Revolution, and Peace）。成立初期，以收集資料爲主，均爲第一次世界大戰前後有關歐洲政治，經濟，及社會問題的檔案和其他的歷史文獻，以及俄國十月革命及俄國共產黨初期黨史的資料。收集之豐富，世界聞名。其大部分均爲胡佛先生（後選爲總統）第一次世界大戰後在歐洲及蘇聯擔任救濟工作時所收集者。1960年改今名，除繼續資料之收集外，並積極發展研究工作，現爲美國著名智庫之一。

1945年1月，胡佛研究所所長費希（Harold H. Fisher）（史丹佛大學歷史系蘇聯史教授）宣佈該所成立中文部與日文部的決定。收藏資料的時限爲二十世紀，範圍則是有關戰爭，革命，以及和平的中國和日本的文獻。

當時代表胡佛在中國收集資料的是瑞德夫婦（Arthur and Mary Wright），瑞德先生在史丹佛大學時曾是費希教授的學生，後去哈佛大學研究院，他與瑞德夫人當時是哈佛大學的同學，1940年去中國收集資料寫博士論文，珍珠港事變後，被日軍軟禁在山東濰縣一間拘留所中。日本投降，他們被釋放以後，接受了胡佛研究所的邀請，就地在中國爲胡佛收集中國文獻。這個工作主要是由瑞德夫人辦理。在1946和1947這兩年當中她幾乎跑遍全中國，得到各方幫助，收集了大量的資料。她甚至得到美軍的許可，搭乘美國軍用機到延安去了一趟，收集延安和當時中國共產黨控制的邊區的出版品，因此獲得了很多當時外界看不到的資料，其中最寶貴的是一份差不多完整的從1941年5月創刊到1947年3月中共撤退延安以前出版的中國共產黨機關報——《解放日報》。

1948年瑞德夫婦返美。瑞德先生（Arthur Wright）應聘爲史丹佛大學歷史系的助理教授，瑞德夫人（Mary Wright）即出任胡佛研究所剛成立的中文部的主任。中文部成立以後，又從伊羅生（Harold R. Issacs）處購得一批非常珍貴的中共原始資料。包括1920年代末期和1930年代初期的中共地下出版品，其中有不少當時中共托洛斯基派油印的刊物。伊羅生原來是美國共產黨員，1932-1934年他得中共的支持在上海發行一個小型的報紙叫 China Forum「中國評論」。當時他收集了很多中共的地下刊物，都是非法的，需要沒收法辦的出版品，但是他是美國人，有治外法權的保護，所以中國警察無法干預他。胡佛收得這批資料後稱其爲「Issacs Collection。」

在1959年，胡佛又收到另外一批也是關於中共的原始資料。當時美國名記者斯諾（Edgar Snow）的前妻 Helen Foster Snow（筆名 Nym Wales）將她和斯諾在1930年代在中國收集的很多中共以及左派的資料文獻全部轉贈胡佛研究所。名爲 Nym Wales Collection。這批資料的性質和伊羅生那批資料大致相同，很多都是地下出版品，不同的就是出版的時間。伊羅生的資料是1920年代末期和1930初期的，斯諾他們的是1930年代中期的。所以在時間上它們連接得很好。因爲這樣，這兩批資料就更珍貴了。在 Nym Wales Collection 當中還有一批關於西安事變的資料。這是他們1936年12月西安事變時在西安收集的，其中有好些是當時西北軍所散發的傳單和小冊子，非常罕見，是十分寶貴的原始資料。

伊羅生和斯諾這兩批資料中的大部分在下列兩部薛君度教授編撰，胡佛研究院出版的書目中有詳細的註釋：⑴ *The Chinese Communist Movement 1921-1937：An Annotated Bibliography of Selected Materials in the Chinese Collection of the Hoover Institution on War, Revolution, and Peace*（1960）；⑵ *The Chinese Communist Movement 1937-1949：An Annotated Bibliography of Selected Materials in the Chinese Collection of the Hoover Institution on War, Revolution, and Peace*（1962）。

1959年瑞德夫婦應聘去耶魯大學歷史系任教，之後，胡佛合併其中文部及日文部成立東亞部，我被任爲東亞部的主任。當時聽說在台灣有一批關於「江西蘇維埃共和國」（1931-1934）的原始資料，爲陳誠副總統所收。我很希望能夠得到這些資料的複印件，以加強胡佛對中共黨史的收藏，但不得其門而入，後偶遇史丹佛大學地質系的 Hubert G. Schenck 教授，他在第二次世界大戰後曾擔任美援在臺灣的負責人，和陳誠很熟，經他的介紹後，得到陳副總統的許可，將這批資料攝成縮影微捲。為此事我1960年第一次來台灣。當時台灣的條件很差，據說攝製縮影微捲的機器只有兩部，一部在中央銀行，一部在中央研究院。那時胡適之先生任中研院院長，我去請他幫忙，他一口就答應了，把機器與操作人員都借給我使用。經過兩個多月的時間，把這批將近一千五百多種的資料照成縮影微捲帶回美國，我命其名為「Chen Cheng Collection」用以紀念陳副總統對學術界的貢獻。後來又得他的許可，將這批資料再作拷貝以成本供應美國各東亞圖書館以作研究之用。據陳副總統告，這批資料是三十年代國軍「剿匪」時期他屬下的隊伍在江西瑞金地區俘獲來的。當時已經焚毀不少，他得悉後下令禁止，才保留了剩下來的這些文件。前南伊利諾斯大學（Southern Illinois University）吳天威教授從這批資料中選出六百多種文件加以註釋，並附加資料全部的目錄由哈佛燕京圖書館在1981年出版一本書目，名為 *The Kiangsi Soviet Republic, 1931-1934: A Selected and Annotated Bibliography of the Chen Cheng Collection*，列為哈佛燕京圖書館書目叢刊第三種。

胡佛研究院東亞部由於上面所講的這三批資料的收藏——Issacs Colletion, Nym Wales Collection, 及 Chen Cheng Collection—而著名於世界。這些中國共產黨早期黨史的原始文獻，無論在數量上或質量上，在西方沒有任何圖書館可以與其比美的。除了關於中共黨史的資料以外，胡佛尚以民國時代的各種政治，經濟，社會，教育，文化方面的文獻見稱。以其收藏所編纂的書目除上述薛君度教授的著作外，尚有下列數種，可代表其收藏之一般：

(1) Frederick W. Mote. *Japanese-Sponsored Governments in China, 1937-1945.* （1954）
(2) Eugene Wu. *Leaders of 20th Century China.* *（1956）*
(3) John Israel. *The Chinese Student Movement, 1927-1937.* （1959）
(4) Naosaku Uchida. *The Overseas Chinese.* （1959）
(5) Ming K. Chan. *Historiography of the Chinese Labor Movement, 1895-1949.* （1981）
(6) I-mu. *Unofficial Documents of the Democracy Movement in Communist China, 1978-1981.*（1986）
(7) Claude Widor. *The Samizdat Press in China's Provinces, 1979-1981.*（1987）

除這些資料以外，胡佛還有一批臺灣的特別出版品。那就是從1975到1978年在臺灣當時被查禁的「黨外」雜誌。這批雜誌共十六種，差不多都是全套。已由荷蘭 Inter Documentation Center 作爲縮影微片發行。

最後，胡佛研究院還有一批與哥倫比亞大學口述史相類似的資料，就是一些民國名人的私人檔案。這一批檔案對於研究中國現代史有高度的研究價值，其中包括宋子文、張嘉璈、顏惠慶、陳納德（Claire L. Chennault）等的個人檔案。

胡佛中文藏書約二十四萬三千冊，現行中文期刊八百一十種，縮影微捲不詳（中、日文共三萬餘捲）。現每年入藏中文書籍約四千四百冊。

胡佛研究院與史丹佛大學圖書館已簽訂協議，在不久前的將來胡佛研究院東亞部將轉屬史丹佛大學圖書館。唯中文或關於中國的檔案仍留胡佛研究院保管。

華盛頓大學

華盛頓大學1946年得洛氏基金會（Rockefeller Foundation）的補助，創立美國第一間大學主辦的東亞研究中心。華大稱其爲「遠東研究所」。第二年（1947）成立「遠東圖書館」（Far Eastern Library），現稱 「東亞圖書館（East Asian Library）。最初的收藏著重於十九世紀中葉中國政治和社會經濟史方面的文獻，因爲那是當時遠東研究所研究的重點。稍後，中國哲學和文學方面的資料也大量的收集。當時，書籍選擇的工作多由Franz Michael, Hellmut Wilhelm 和 Dwight Schultheis 三位教授負責，分別選購清史（Michael），中國思想史（Wilhelm），和中國文學（Schultheis）方面的資料。後來由於東亞教學研究的範圍擴張，圖書館收集的範圍也就跟著更擴大了。

該館現藏中文書籍二十四萬餘冊，現行中文期刊一千二百餘種，縮影微捲六千三百餘捲。該館爲美國最早引進臺灣中央研究院建立的「二十五史全文檢索資料庫」的圖書館。現每年入藏中文書籍約三千五百冊。

其特藏是中國的西南方志。這些方志是從駱克（Joseph Rock）處購得，共八百三十三種，其中雲南方志一百四十六種，四川方志一百四十三種，爲西方圖書館之最。（駱克在中國雲南居住前後達二十五年，是納西族專家，國會圖書館和哈佛燕京圖書館的納西經典都是從他的收藏中購得。方志也是他在雲南時所收購的）。關於臺灣的方志，該館有八十餘種。其方志收藏全部著錄於 Joseph Lowe 編篡的一部目錄，名爲 *A Catalog of Official Gazetteers of China in the University of Washington*，1960年荷蘭 Inter Documentation Center 出版。

該館的善本不多，有明本一百三十八部，其中子部與經部的書籍較多。李直方（Chik Fong Lee）曾爲其編一書志，名爲 *A Descriptive Catalog of the Ming Editions in the Far Eastern Library of the University of Washington* （San Francisco: Chinese Materials Center, 1975）。

華盛頓大學除了東亞館之外，還有法學院圖書館的東亞部（East Asian Law Department）。成立於1930年代，最初只是收集關於日本法律方面的日文書籍，後來才開始收集關於中國法律方面的中文資料。該部現有中文書籍七千餘冊，現行中文法律方面刊物八十多種，縮影微捲一百八十餘捲。

密西根大學

密西根大學在第二次世界大戰以前就開始收集一些中、日文的出版品，但是比較有系統的收集還是在第二次世界大戰以後。1948年密西根大學成立日本研究中心，日文資料的收集隨之加強。1961年成立中國研究中心，中文資料也跟做著很迅速地發展起來。到目前爲止，密西根大學亞洲圖書館所藏的中文書籍多於日文，而其中、日、韓文藏書的總量在北美東亞圖書館排名第四，在僅僅四、五十年當中有這樣的成果，是很不容易的事。僅以中文藏書的數量來說，它也佔全美第七名，由此可見他們工作發展的迅速。

而因爲他們發展的時間較晚，所以原版的古籍較少，但是他們收藏中國古籍的複印本和微捲特別多，比如說台灣六十、七十年代出版的中國古籍複印圖書，他們差不多全部都有；還有中央圖書館的一千五百多種善本的縮影微捲，以及他們在日本購入的許多日本收藏的明刻本和中國地方志的微捲等。另外，還有一批研究當代中國的特別重要的資料，就是香港友聯研究所的中國剪報的縮影微捲。友聯研究所1949後在香港成立，爲當時頗負盛名的一個研究機構。他們設法收集了很多當時禁止出口的中國大陸的地方報紙、雜誌。由於研究的需要，他們把這些資料做了很有系統的剪報工作。當時因爲西方的學者，特別是美國的學者，不能去大陸，也無法在旁的地方看到大陸的地方報紙和雜誌，所以這些剪報就成了在當時最有價值的的研究中國問題的資料。後來友聯將這些剪報攝製成兩千多捲的縮影微捲。密西根亞洲圖書館所藏的這批縮影微捲是美國東亞圖書館中唯一的全套。

密西根亞洲圖書館現藏中文書籍有三十四萬三千餘冊，現行的中文期刊一千三百多種，微影膠捲兩萬九千餘捲，縮影微捲兩萬四千多片。現每年入藏的中文典籍有八千七百餘種。他們的網站設計得很好，內容很豐富，恐怕是美國東亞館中做得最好的，大家不妨去參考看看。網址是 http://asia.lib.umich.edu.

從上面所講的，我們可以看出，美國圖書館的中國藏書建設工作與美國大學發展關於中國的教學與研究工作有不可分立的關係。在十九世紀末期，美國大學對於中國的教學與研究尚在萌芽的時候，圖書館收集中國典籍的工作是被動的，當時收集的資料大都是偶然得來的。稍後，教學和研究的工作漸漸發展，主動的收集才跟著而來。一直到第二次世界大戰結束，區域研究盛行，新的東亞圖書館相繼成立，中文典籍的收藏才達到最高峰。過去不受重視的東亞圖書館，今天已經是美國研究圖書館主流當中的一部份了。

司　儀：

專題演講結束。謝謝吳教授與各位來賓。

哈佛燕京圖書館簡史及其中國典籍收藏概況

司　儀：

以下時間，交由淡江大學中文系周彥文教授主持。

周彥文教授：

吳教授、各位同仁、各位同學大家好。我們今天是這場專題講座的第二場，今天請吳教授主講的講題是哈佛燕京圖書館的簡史，以及此圖書館所藏中國典籍的概況介紹。接下來我們就把時間交給吳教授，謝謝。

吳文津教授：

周教授、蘇教授、盧主任，各位先生、女士、同學，今天是第二場，昨天因為時間不夠，無法讓大家發問，我感到很抱歉，希望今天有機會能讓大家提出一些問題。今天我所講的是哈佛燕京圖書館的簡史以及其館藏中文典籍的概況。我非常高興今天在座的有哈佛燕京圖書館中文部的主任胡嘉陽女士，胡小姐是台大的校友，加州大學圖書館學校畢業，與我在哈佛燕京圖書館共事多年，是非常能幹的一位同事。我在寫今天的講稿時，也得到她很多的幫忙，許多數據方面的資料，都是她提供給我的。所以如果我今天有講錯的地方，可以麻煩她替我改正；有講得不夠的地方，她也可以替我補充。

十九世紀美國「中國貿易」（China trade）的中心是在波士頓，當時有一位做中國貿易的商人 *Francis P. Knight* 在1877年（光緒三年）提倡中文教學，發起募捐，籌畫基金，一共募到八千七百五十美元，在當時是相當大的一筆數目。因此他於1879年（光緒五年）託人在中國請了一位秀才戈鯤化先生（寧波人）到哈佛大學教授中文，這是哈佛大學中文教學的開始。戈鯤化先生到美國的時候，帶來了一批書籍，包括他自己的著作，後來他都捐給了哈佛學院圖書館（Harvard College Library），同時他也替哈佛大學買了一些另外的書籍，以作教學之用，這就是哈佛大學收集中文典籍的開始。

戈鯤化先生於1879年的秋天，帶著他的家人到哈佛大學開始中文教學的工作，但不幸兩年後患肺炎，於1882年逝世。他逝世後，哈佛大學中文教學後繼無人，已經是非常有限的書籍採購工作也就停止了。

1914年，東京帝國大學的兩位教授，姉奇正治和服部羽之吉，來到哈佛大學講學，姉奇教授專治佛學與東方哲學，服部教授則是當時的漢學權威，他們到哈佛的時候送了一批關於佛教與漢學的日文書籍給哈佛學院圖書館，是哈佛大學收藏日文典籍的開始。

1921年，趙元任先生應聘至哈佛大學教中文，1924年辭職，後由南京東南大學（中央大學的前身）、梅光迪先生接任。這兩位教授從1921到1926年替哈佛大學蒐集了一些中文方面的書籍，也放置於哈佛學院圖書館，但無人管理。1925年，裘開明先生到哈佛大學研究院就讀，裘先生原在廈門大學任圖書館館長，後來被送到美國來進修，到紐約公立圖書館所辦的圖書館訓練班（後來哥倫比亞大學的圖書館學校）受訓。結業後他到哈佛大學研究院攻讀農業經濟。因為裘先生是圖書館的專業人員，所以他到哈佛大學後，就到哈佛學院圖書館當義工，希望能學得一些實際的經驗。1927年，他得到農業經濟的碩士學位後，又開始唸博士班的課程。當時哈佛學院圖書館館長的 Archibald C. Coolidge 教授問他是否願意在圖書館正式工作，替他們整理館藏的中文、日文書籍。裘先生因為從未在美國圖書館工作過，所以有些猶豫，但是 Coolidge 教授 告訴他：「你不用擔心，你在中國怎麼做，在這裡就怎麼做，不用管在美國有沒有經驗」。於是他就接受了這個任務，當時他的職稱是哈佛學院圖書館中日文書籍總管（Custodian of Chinese and Japanese Books, Harvard College Library）。就這樣，開始了他在哈佛大學從1927到1965年總共卅八年的有聲有色的圖書館事業。

裘開明先生，字闇輝，浙江鎮海人，1898年出生，1977年逝世。先生啓蒙的時候，唸的是三字經、千字文、百家姓與四書五經等等，後來他被送到杭州文明書局（中華書局的前身）在杭州的分局作學徒。他在那裡工作了一年半的時間，對中國古籍發生了極大的興趣，同時也約略地知道了一些商業管理方面的基本知識。1911年辛亥革命，先生被送到湖南長沙一間教會學校學習「西學」，之後他又到湖北武昌文華大學（Boone University）圖書科第一屆就讀，1922年卒業。全班共六人。

文華學院圖書科爲一美籍教師 Mary Elizabeth Wood（韋棣華）女士1920年創辦。爲中國第一間圖書館專業學校。1929年獨立設校稱爲「文華圖書館專科學校」。（1950年該校併入武漢大學；1984年擴充爲武漢大學圖書館情報學院。）裘先生在校時多利用暑假時期在當時頗有名氣，由商務印書館主辦的涵芬樓（後改名爲東方圖書館）作見習工作。耳聞目睹，在專業知識方面頗有裨益。

裘先生畢業之後，廈門大學延聘他爲該校圖書館館長。當時日本在廈門的勢力很大，日語非常流行，所以裘先生遂學習日文。在校時並結識當時在該校執教的歐洲漢學泰斗 Paul Demieville,中國名人作家魯迅、林語堂、及廣雅書局經理徐信符先生等。廣雅書局以其刻本著名。先生謂自徐信符先生處學到不少關於版本和目錄學的知識，對他後來的工作有極大的幫助。

1924年廈門大學送裘先生赴美深造。1925年他從紐約公共圖書館（New York Public Library）主辦的圖書館訓練班結業後，去哈佛大學研究院就讀，主修農業經濟學。1927年得碩士學位，1930年得博士學位。從1927年裘先生接掌哈佛學院圖書館中日文書籍總管的職務，一直到1965年他在哈佛燕京圖書館館長的職務上榮退，前後共卅八年，創北美東亞圖書館館長任期的紀錄。先生是北美東亞圖書館的開路先鋒，在1930年代初期曾爲很多大學圖書館擔任有關東亞圖書的採購和編目的顧問工作。第二次世界大戰後，胡佛研究院成立中文部，也邀請他去協助籌備的事宜。先生退休後，應聘到明尼蘇達大學設立東亞圖書館；之後香港中文大學又邀先生去擔任中文大學的首任圖書館館長。返美後，任哈佛燕京圖書館顧問。於1977年逝世，享年79歲。裘先生博學多才，平易近人，有高度的服務精神，被東亞學術界深深敬重，誠爲他榮休時，哈佛燕京學社董事會所言：開明先生「爲一例證中西傳統之精華及成就的一位儒者」（A scholar who exemplifies the best in the traditions and accomplishments of both East and West）。

說到裘先生的成就，就必須介紹一下他和哈佛燕京學社的關係。哈佛燕京學社（Harvard-Yenching Institute）成立於1928年，是一個私人的基金會，設立於哈佛大學，但與哈佛大學無行政上的關係，只有工作上的關係。其基金來自一位 *Charles Martin Hall* 先生的遺產。Hall 先生是一位工程師，他發明了將鋁從鋁礦中抽取出來的技術，創辦了美國鋁業公司（Aluminum Company of America），非常富有。他於1914年去世。他在世時，對於教會在亞洲的高等教育事業頗有興趣，爲繼承其遺志，他的遺產管理人得到哈佛大學與中國燕京大學的同意和支持，於1928年在波士頓以美金兩百萬元成立一個基金會，成立時就採用這兩個大學的聯名稱爲「哈佛燕京學社」

（哈燕社）。

此學社成立的目的有二：一是協助當時在東亞的教會大學，特別在中國的教會大學，發展當地的高等教育，並且提昇東亞各國對於該國歷史與文化的教學研究。第二、協助哈佛大學發展關於東亞的研究和教學。由於第二項目的的關係，哈佛燕京學社成立後就接管了哈佛學院圖書館已經收藏的中日文書籍六千一百九十四冊，計中文四千五百二十六冊，日文一千六百六十八冊。裘先生留任，仍稱「哈佛學院圖書館中日文書籍總管」。1931年哈燕社正式成立「哈佛燕京學社漢和圖書館（Chinese-Japanese Library of the Harvard-Yenching Institute）。

漢和圖書館在1965年改名爲「哈佛燕京圖書館」（Harvard-Yenching Library），因爲當時圖書館收集的書籍已經超過了中日文的範圍，包括韓文和與東亞有關的西方文字的書籍。1976年哈佛燕京圖書館由哈佛燕京學社轉屬哈佛學院圖書館。它的經費不復再由哈佛燕京學社全部負擔，而由哈佛學院圖書館負大部分的責任，但是哈佛燕京學社每年仍然提供相當大的一筆經費供哈佛燕京圖書館使用。從1928年到1976年這麼長一段時間裏，如果沒有哈佛燕京學社在經費上的支持，哈佛燕京圖書館不可能有今天這樣的發展。

哈佛燕京圖書館成立以後，需要解決的問題很多。在1931年東亞圖書館在美國就像是一塊沒有被開墾的處女地，中日文圖書分類法及編目規則全付闕如，也無法從中國或日本引進，因爲當時在中國與日本也還未有一套被大家公認爲標準的分類法和編目規則。所以裘先生的第一個工作，就是要編出一套中日文書籍的分類法，這個分類法一方面要滿足美國圖書館的需要，一方面也要顧慮到東亞目錄學最基本的要求和法則。裘先生最後推出的「漢和圖書分類法」，基本上是依據四庫的分類，然後再加以擴充，一共分爲九類，每一號碼以下再加上阿拉伯數字，依此類推可作無限制的擴充；而作者的號碼就用四角號碼。這是一個非常實用的折衷辦法。這部劃時代的巨著不單是裘先生對哈佛燕京圖書館的貢獻，也是對北美東亞圖書館的貢獻，是北美東亞圖書館發展的一個重要里程碑。1943年，全美學術團體委員會（American Council of Learned Societies）管轄下的遠東委員會（Committee on Far Eastern Studies（Association for Asian Studies 亞洲學會的前身）出版了這部分類法，名叫《漢和圖書分類法》《A Classification System for Chinese and Japanese Books》，後通稱爲「哈佛燕京分類法」（Harvard-Yenching Scheme）。自此以後一直到1970年代的中期這四十多年的時間，美國所有的東亞圖書館（國會圖書館除外）都採用這個分類法，同時在加拿大、英國、荷蘭和澳洲一些主要的圖書館也採用來作他們中日文書籍的編目工作。

裘先生另一個重要的貢獻就是在編目卡片上加上作者與書名的羅馬拼音，以便於卡片的排列，這個辦法在美國已經通用，而且早已定爲美國全國編目的標準。同時，裘先生決定把這些卡片目錄用語言分開，分爲中文目錄、日文目錄（後又加上韓文目錄）、以便查詢；書籍在書庫書架上的排列也是依語言而分；

因為當時東亞館還沒有主題編目（Subject cataloging）裘先生乃建立分類目錄。這一系列的措施大都被很多東亞館效法，以至於今。

所以裘先生在東亞館，如我所說的，是開路先鋒，做了很多事情，是大家仿效的對象。還有，為了讓在哈佛大學以外的人便於查詢哈佛燕京圖書館的藏書，裘先生開始哈佛燕京圖書館書目的編纂與出版工作，這在美國東亞館中也是首創之舉。1936年，裘先生到北平與燕京大學引得出版社洽商出版哈佛燕京圖書館中文藏書目錄的事宜。從1938年到1940年，這套目錄的前三冊——經學、哲學宗教，史學——已經問世，其餘的部分也有了校樣本，但是珍珠港事變以後，日本人在北平大事破壞與美國有關的機構，燕京大學是美國教會學校，引得出版社因之被毀，已經印就的其餘目錄的校樣本，也就付之一炬。以後也無法再行印刷出版了。已出的這三本目錄，還有一個非常重要的副產品，就是裘先生要求引得出版社把這三本目錄中的單筆的卡片分印出來，以供其他東亞圖書館使用。這是東亞館館際合作的序幕。後來裘先生在這方面還有很多另外的貢獻，比如在抗戰末期到戰後的幾年間，中國大陸不僅出版圖書不易、在大陸買書也很很困難，因為當時國內外的交通都很不方便。因此，美國圖書館協會成立了一個「中國書籍合作購買節目」（ALA China Cooperative Book Purchasing Program），主要是在重慶和其他的地方買書後，空運回美國，由哈佛燕京圖書館負責編目，然後再把編目卡片分送到其他東亞圖書館使用。從1944到1948這四年當中，由哈佛燕京圖書館編製並由哈佛大學出版部代印，分發到各圖書館的書目卡片一共有一萬九千張，是東亞圖書館合作編目的先聲。再者，從1949年到1958年，國會圖書館成立一個東亞語文卡片複印節目，前後總共複印了各個東亞圖書館送去的四萬五千張編目卡片，再行分發各館以供其編目之用。在這四萬五千張卡片中哈佛燕京圖書館的就佔了兩萬八千張，將近全部書卡總數的三分之二，所以哈佛燕京圖書館在裘先生領導之下對於館際合作有很大的貢獻。

剛剛提到哈佛燕京圖書館無法在北平完成出版中文書本目錄的事。裘先生對此一直引以爲憾。因此在1980年代，我們決定將圖書館的全部中日文卡片目錄印成書本目錄，以了其願。之後我們仿照有些東亞圖書館的辦法將單筆目錄卡片用照相、影印的方式出版。這項工作前後花了四年的功夫，包括整理，審訂全部的卡片目錄。終於在1985和1986年兩年當中，影印出版了七十二大冊中日文書本目錄。韓文書籍的目錄我們已在1962年、1966年與1980年出版了三本，因此沒有包括在內。

書本目錄出版以後，頗受歐美東亞學術界的歡迎。之後，爲更進一步便利學者的查詢，哈佛燕京圖書館決定開始作回溯建檔的工作。但是從卡片格式轉換到機組格式的費用較大，每一筆需要美金六元，所需預算是兩百二十萬美元，是相當龐大的一筆經費。後來，哈佛燕京學社捐贈一百一十萬，哈佛大學也提供了一百一十萬。從1997年開始，到2001年10月爲止由 Online Computer Library Center（OCLC）承包的全部回溯建檔工作結束。哈佛燕京圖書館成爲北美主要東亞圖書館中第一個館藏目錄全部上網的圖書館。（館的網址是：http://hcl.harvard.edu/harvard-yenching）

研究圖書館最重要的任務就是藏書建設。哈佛燕京圖書館最初從哈佛學院圖書館接收過來的幾千冊書基本上還是相當凌亂，因爲它們並不是有系統蒐集而來的。所幸的是漢和圖書館開館時得到了燕京大學圖書館大力的協助，從1928到1941這十幾年間，燕京大學圖書館在採購書籍時大都購買兩本，一本自留，一本給哈佛燕京圖書館。因爲這樣，那個時期出版的有研究價值的著作大都有所收藏。當時在燕京大學圖書館任職的顧廷龍先生（著名的目錄學家，1949年後任上海圖書館館長）和當時燕京大學的文學院院長洪業教授，也替哈佛燕京圖書館選購了不少的古籍善本。同時，裘先生自己也直接從上海中華書局或商務印書館等處買了不少他們當時出版的圖書。在日文書籍方面，大部份都從東京伊勢堂購買。因此，哈佛燕京圖書館的藏書建設工作就上了軌道，開始進行有系統的採購。在1930年代，哈佛燕京圖書館每年購書的經費是美金一萬元，在那時這是一筆很可觀的數字。

蘆溝橋事變以後，日本入侵中國，華北名望因不願與日人合作而隱居者，多出讓私藏古籍，以維持生計。其時，北平琉璃廠，福隆寺書肆善本充溢，在華日人多購之。裘先生當時在北平監督圖書館書本目錄出版的事，他也就大量地收購了中文善本古籍。目前哈佛燕京圖書館很多的善本書籍就是當時裘先生購入的。珍珠港事變以後，燕京大學受到日軍的騷擾，漢和圖書館與燕京圖書館的合作採購工作，遂告結束。館方旋轉中國西南各省自美國直接採購，現哈佛燕京圖書館所藏的多種中國西南地區的方志，就是當時購入的。第二次世界大戰以後，日本經濟崩潰、民不聊生，不少私人收藏的中國古籍流於坊間書肆。裘先生遂赴日，後來又委託他人，採購了若干善本書籍，其中有明刻本百餘部。

哈佛燕京圖書館開辦後二十年間。採購的範圍限於中日文的典籍文獻，而其重點是在人文科學方面。但是由於哈佛大學對於東亞教學研究的擴展，圖書館蒐集圖書的範圍也隨之擴大，藏文、滿文、蒙文的典籍也開始蒐集，西文關於東亞方面的書籍、參考工具、報紙、雜誌、學報，也大量的增加。1951年韓戰時，成立韓文部。1975年又成立越南文部（哈佛燕京圖書館並不收集東南亞語文書籍，越南是例外。因爲當時哈佛大學歷史系設立一中越歷史講座，圖書館有提供資料文獻的責任，而且哈佛燕京圖書館中已經藏有若干安南時期用漢文出版的的官方歷史文獻，如《阮朝實錄》之類的文獻）。1965年我接任裘先生的職務之後，開始加強近代及當代中國、日本、韓國在社會科學方面的圖書資料。數十年來，一所當年是以人文科學資料爲主的圖書館，就逐步的轉變成一所包容所有學科的研究圖書館，甚至包括一些關於自然科學與應用科學方面的文獻。

哈佛燕京圖書館除了蒐集工作外，還有出版的工作，主要是《哈佛燕京圖書館書目叢刊》。現已出版下列九種：

1. Ping-Kuen Yu 余秉權,comp. *Chinese History: Index to Learned Articles, Volume II, 1905-1964*中國史學論文引得（in Chinese）。Cambridge, MA: Harvard-Yenching Library,1970。
2. *A Classified Catalogue of Korean Books in the Harvard-Yenching Library, Harvard University, Volume III*（in Chinese and Korean）. Cambridge, MA: Harvard-Yenching Library,1980。
3. Tien-wei Wu 吳天威,comp. *The Kiangsi Soviet Republic, 1031-1934: A Selected and Annotated Bibliography of the Chen Cheng Collection*（in English and Chinese）. Cambridge, MA: Harvard-Yenching Library,1981.
4. Masahiko Oka 岡雅彥 and Toshiyuki Aoki 青木利行，comp. *Early Japanese Books in the Harvard-Yenching Library, Harvard University*（in Japanese）。Tokyo：Yumani Shobo, Publisher Inc. 1994.
5. Zhu Baotian 朱寶田, comp. 哈佛燕京圖書館藏中國納西族象形文經典分類目錄（in Chinese）。*An Annotated Catalog of Naxi Pictographic Manuscripts in the Harvard-Yenching Library.* Cambridge, MA: Harvard-Yenching Library, 1997.
6. Yongyi Song 宋永毅 and Daijin Sun 孫大進 comp. Edited by Eugene W. Wu 吳文津 *The Cultural Revolution: A*

Bibliography, 1966-1996（in Chinese, English, and Japanese）. Cambridge, MA: Harvard-Yenching Library, 1998.

7. Chun Shum 沈津, comp. 美國哈佛大學哈佛燕京圖書館中文善本書志（in Chinese）。*An Annotated Catalog of Chinese Rare Books in the Harvard-Yenching Library*（in Chinese）.上海：上海辭書出版社，1999。
8. Choong Nam Yoon 尹忠男。*The Cradle of Korean Studies at Harvard University: Commemoration of the 50th Anniversary of the Korean Collection at Harvard-Yenching Library*（in Korean and English）.Cambridge, Seoul: Eulyoo Publishing Company, 2001.

哈佛燕京圖書館迄2001年6月底，圖書館藏書總量為一百零一萬八千五百餘冊，其中中文書籍約五十七萬七千冊，佔總藏量的百分之五十七；日文二十六萬零七百五十冊，佔總藏量百分之二十六點二；韓文書籍十萬六千一百七十冊，佔總藏量百分之十點五；西文四萬三千三百一十冊，佔百分之四；越南文一萬一千三百三十五冊，佔百分之一；滿蒙藏文合計八千二百一十冊，佔總藏量百分之零點八。

館藏新舊期刊總數一萬四千餘種。現行期刊五千七百八十四種，其中中文兩千八百五十九種，佔百分之四十九；日文一千五百一十三種，佔百分之二十六；韓文九百二十四種，佔百分之一點六；西文四百四十種，佔百分之零點七；越南文四十八種，佔百分之零點零八。現行報紙八十五種，其中中文六十種，佔百分之七十；日文四種，百分之零點四，韓文七種，百分之零點八、西文八種　，百分之零點九、越南文六種，百分之零點七。

哈佛燕京圖書館收藏的縮影微捲，共六萬三千一百九十二捲，其中中文三萬一千七百八十四捲，佔百分之五十；日文二萬三千零六十捲，佔百分之三十六；韓文五千一百二十九捲，佔百分之八；西文二千七百七十五捲，佔百分之四；越南文四百四十四捲，佔百分之零點七。縮微影片共一萬八千三百零四片，中文佔絕大多數，有一萬七千六百一十一片，百分之九十六；其餘就是西文，有六百九十三片，佔百分之四。除此以外還有錄影帶兩百多種、照片六萬餘張、幻燈片三千多張、CD ROM 九十四種。

2000-2001年會計年度，哈佛燕京圖書館總預算是三百五十一萬六千多元，其中人事費用兩百零七萬八千多元，佔百分之五十九；採購經費九十七萬二千，佔百分之二十八。還有其他的費用四十六萬六千，佔百分之十三。

中文圖書採購的經費共三十六萬四千三百三十元，佔採購經費全部百分之三十八；日文圖書三十七萬八千八百九十元，佔百分之三十九；韓文十七萬九千二百四十元，佔百分之十八；西文三萬零二百三十六元，佔百分之三；越南文八千九百一十元，佔百分之零點九；藏文六千二百六十元，佔百分之零點六。

從這些數字看來，日文的採購經費比中文多，但是日文書籍每年的入藏量遠不如中文，這是因爲日文書籍的價格比中文書要貴得很多。比如說2000到2001年，哈佛燕京圖書館入藏的書大概總共有三萬一千三百八十冊，其中中文有二萬一千三百六十五冊，佔百分之六十八，但是日文只有四千六百四十五冊，佔百分之十五，但是所花的經費比中文還要高些。韓文的入藏數是四千一百零二冊，佔十三個百分比，這與日文的入藏量差不了很多，但是日文採購的經費比韓文多一倍。

關於收藏方面，哈佛燕京圖書館各部門的藏書有很多類似的地方，有很多共同點，那就是不論是中文部、日文部、韓文部、或越南文部，它們所收集的典籍文獻都是分別有關中國、日本、韓國、越南的歷史、語言、文學、哲學、宗教、美術以及近代和當代的社會科學方面的資料。但是除了這些共同點之外，每一個部門都有它特殊的收藏，譬如說中文部的方志、叢書、文集、別集、善本或當代的一些文獻都很豐富，這個我在下面會做詳細的說明。現在先介紹一些關於其他部門收藏的概況。

日文部關於日本近代史，特別是明治維新時代、近代文學、二次世界大戰後的日本政治、經濟、社會發展的資料都非常豐富，日本學者所撰關於漢學的著作收集也相當完整。另外，圖書館中還有 Bruno Petzold 先生的藏書六千五百餘冊。Petzold 先生奧地利人，在日本居住多年，專佛學，他收集的書籍中多爲關於佛教的典籍，其中江戶時代的刻本居多，並有兩百多本手抄本。

關於明治維新時代，館藏最特別的、最珍貴的資料，是一套一萬五千捲的縮影微捲。這一套縮影微捲是東京丸善書店與日本國會圖書館合作爲紀念明治維新二百周年而製作的。這批微捲包括日本國會圖書館所藏全部明治時代出版的書籍，約十二萬種，爲日本現存明治時期出版書籍全部百分之七十五。這一萬五千捲縮影微捲數量龐大，售價非常昂貴，當時除日本本國圖書館購買以外，國外圖書館均未採購。因爲如是，東京日光証卷股份有限公司出資購買一部，贈送哈佛燕京圖書館，是爲全美唯一的全套。

韓文部所藏的資料中，韓國文集非常豐富，大概有兩千六百多種。這些都是韓國文人從十三世紀到十九世紀末期（元明清時代）用漢文撰寫的著作。另外韓文部收藏的在朝鮮時代「李氏王朝」（公元1392年到1910年）的「榜目」與族譜也非常珍貴。「榜目」就是當時朝鮮模仿中國科舉制度所放的榜。這兩種資料都是研究朝鮮時代韓國社會史不可或闕文獻。故哈佛大學韓國史教授 Edward W. Wagner 先生根據這兩種資料，整理出了一萬四千六百零七位在朝鮮時代曾經在文科、武科中舉的人的名單，並且將每一位人的家世資料，整理得清清楚楚，建立檔案，爲研究李氏王朝非常重要的原始資料，備受韓國歷史界尊崇，並準備上網以供學術界使用。

越南文部所藏的資料不多，但其中亦不乏重要者。如十九世紀用漢文編撰的當時稱爲安南的歷史、法政，和佛教方面的典籍。現代和當代越南的典籍和出版品也是在蒐集範圍之內。

西文部的藏書都是關於中國、日本，韓國和越南的西文專著、學報、期刊，和報紙，其中大部分均爲英文出版品。哈佛燕京圖書館收集西文資料的政策與其他東亞圖書館有異。其他東亞館收集的西文資料大多限於參考工具書及部分書籍或期刊。哈佛燕京圖書館除了參考工具書之外，更收集一般的專著、學報與期刊，因爲哈佛燕京圖書館是哈佛大學有關東亞課程的西文指定課外讀物圖書館之一。但這並不是說哈佛燕京圖書館是在收集所有有關東亞的西文出版品，那是哈佛學院圖書館（Harvard College Library）所屬最大的懷德勒圖書館（Widener Library）和拉曼大學部圖書館（Lamont Undergraduate Library）的責任。哈佛燕京只是收藏其中大部分比較重要的而已。

在這裡可以附帶補充一句。哈佛大學是一所行政非常不集中的大學，各個學院的自主權很高。因此，哈佛大學大大小小的圖書館差不多有一百個，所以收集的資料有時難免重複。就中國資料方面來講，雖然哈佛燕京圖書館是哈佛大學蒐集中國資料的主要圖書館，但是也有其他的圖書館同時在收集中文資料，但是他們所蒐集的是比較專業的，比如說，費正清東亞研究中心（John King Fairbank Center for East Asian Research）有一個圖書室，他們蒐集的都是當代大陸出版的資料。還有法學院圖書館，他們也蒐集中國大陸和台灣出版的關於法律、施法行政方面的中文資料。

下面我就哈佛燕京圖書的中國典藏作一個比較詳細的報告。剛才我已經提到哈佛燕京圖書館的中文收藏包括書籍五十七萬七千多冊、新舊期刊一萬四千多種、新舊報紙五百多種、縮影微捲三萬一千七百多捲等等。這些資料總合起來佔圖書館總藏量一半以上，在北美洲的東亞館中，也僅次於國會圖書館，所以哈佛燕京圖書館的中文典籍是非常豐富的。所以，要做一份有意義的報告比較困難，我想最好的辦法也許就是以文獻的種類分別介紹一些特別有代表性的典籍，這樣大家就可以舉一反三，也許能對哈佛燕京圖書館所收藏的中文典籍有一個比較清楚的概念。

我首先介紹哈佛燕京圖書館所藏的中文古籍近二十萬冊，其中善本有宋元刻本三十種、明刻本一千四百多種、清代順治，康熙，雍正，乾隆四朝刻本兩千多部，抄本、稿本一千二百多種，拓片五百多張，法帖三十六種。在刻本當中又有彩色套版、五色套印，還有明代的銅活字與清代木活字的版本。

圖書館的善本有書志，名為「美國哈佛大學哈佛燕京圖書館中文善本書志」，沈津編著。1999年上海辭書出版社出版。沈先生隨顧廷龍先生二十餘年，精通目錄學及版本學。現任哈佛燕京圖書館善本室主任。書志著錄從南宋至明末的所有館藏刻本，共一千四百三十二種，約一百餘萬字，按經史子集叢五部排列，同時附有分類書名目錄，以及書名、作者、刻工、刻書舖的索引，非常精細，得到學術界一致的肯定。台灣元智大學中文系的吳銘能教授在「國家圖書館館刊」民國88年第2期發表〈沈津《美國哈佛大學哈佛燕京圖書館中文善本書志》校讀書後〉一文，頗多讚譽。

現在我再分別介紹一些具有代表性的中文藏書。第一種就是地方志，我們都知道，地方志是研究中國歷史、政治、經濟和社會史不可缺少的資料。據統計，大陸現存的方志共八千三百四十三種，最多是在北京圖書館，大約有六千零六十六種；台灣的收藏計四千五百三十種。哈佛燕京圖書館有三千八百五十八種，其中原版有三千二百四十一種，複印本與縮影微捲六百一十七種。如僅以原版計算，哈佛燕京圖書館的藏量佔大陸總藏量的百分之三十九，佔台灣總藏量的百分之七十二，若與北京圖書館比較，哈佛燕京的藏量有其百分之五十三。

哈佛燕京圖書館藏方志以縣志爲最多。大陸收藏的縣志計五千四百四十一種，其中北京圖書館有四千一百一十一種；台灣藏縣志有三千一百五十五種；哈佛燕京圖書館有兩千九百一十一種。在比例上，哈佛燕京圖書館的藏量有大陸的百分之五十四、北圖的百分之七十一、台灣的百分之九十二。館藏方志最多的是山東、山西、河南、陝西、江蘇、浙江各省。就以浙江一省來講，我們知道現存所有的浙江方志有五百九十九種，在北圖有三百九十八種，浙江圖書館有三百七十種，哈佛燕京圖書館有三百種。

以方志原版刊行年代計，哈佛燕京圖書館有明刻三十一種、清刻兩千四百七十三種、民國出版者七百三十七種；館藏最早的刻本是明正德元年（1506）刊行的《姑蘇志》六十卷，最近者是民國八十五年（1996）台北中一出版社出版的《台灣鄉土全志》十二冊。

館藏《潞城縣志》八卷，明馮惟賢修，王溥增修，明萬曆十九年（1591）刻，天啓五年（1625）增修，崇禎年間再增修本，及《江陰縣志》八卷，明馮士仁修，徐遵湯，周高起篹，明崇禎十三年（1640）刻本，或均係存世孤本，因大陸所藏，均爲清代或民國時代的抄本。明嘉靖年間《廣西通志》六十卷，明林富，黃佐篹修，藍印本亦值得一提。這本方志是廣西方志中最早的版本，世間所存不多，除哈佛燕京圖書館外，僅北京圖書館與日本文庫有入藏。

關於哈佛燕京圖書館方志藏書的詳盡介紹，可以參考拙著〈哈佛燕京圖書館中國方志及其有關資料存藏現況〉，載《漢學研究》第3卷第2期（「方志學國際研討會」論文集專號，第一冊，民國74年12月）。

在此，另外需要提到的是新方志的出版。從1980年代以來，中國大陸出版了大量的新方志，與舊的方志在體例上有一些相同，但在內容上有很大的差異，因爲這些省、市、縣各級都有的新方志中，他們只蒐羅記載1949年以後的地方史實，但是也包括在1949年以前，各地共產黨的地下組織及其活動，這類的資料在旁的的地方很少能看見的，所以這些新方志對研究中共黨史有也很大的用處。據估計，現已出版的新方志約一萬八千種，哈佛燕京圖書館藏收有一萬四千種左右。與新方志有關的是大陸近二十年出版的各省，市，縣，自治區，和各種專業的年鑑，估計有一千八百多種，哈佛燕京圖書館現藏約一千七百種。

除了新舊方志、新舊年鑑以外，哈佛燕京圖書館尚藏有和它們有關的一些地方性的資料，比如說山水志、寺廟志、輿圖、地方載記、土地文書、官書統計等等。在這些地方資料中，輿圖及土地文書特別值得一提。輿圖有明版輿圖十餘種，其中有明嘉靖三十六年（1557）刻，明張天復之《皇輿考》，嘉靖四十五年（1566）刻，元朱思本之《廣輿圖》，以及崇禎年間刻的《今古輿地圖》朱墨套印本。館藏的清代輿圖中，有康熙內府刊的《康熙內府分省分府圖》，爲摺裝本，乾隆四十六年（1781）初版，清嘉慶年間廣幅藍色印本，黃澄孫乾隆十五年（1750）繪製之《大清萬年一統地理全圖》。另有乾隆十五年繪（1750年），1940年敵僞時代北京興亞院華北聯絡部複印的《乾隆京城全圖》。以及清初的彩繪本《湖南全省圖》十五幅，一冊。其他尚有光緒年間彩繪的四十餘幅江蘇、浙江、江西的釐卡圖，其中除大卡、小卡、旱卡、水卡的位置以外，還註明各卡間的距離及各卡與其附近城鎮間之距離，是研究清代經濟史很有用的一項資料。

關於土地文書方面，館藏中最具有研究價值的，有同治七年到光緒三年江蘇吳縣有關佃農正副租簿，共十九冊；乾隆二十七年到五十八年間的少數田契；光緒三十年到民國十八年間，江蘇二十一縣同浙江一縣縣長移交的田賦，漕運，以及其他稅收的清單，並公費賑災的收支帳目，這都是非常重要的研究資料。土地文書當中尚有台北成文出版社出版的《民國二十到三十年代中國經濟、農業、土地、水利問題資料》，是當時大陸地政研究所所長蕭錚先生編輯的，一共收羅兩萬六千餘件，有的從報刊選輯而來的，也有實際調查的資料，分五大類、六十五個細類，用縮影微片發行。另外一種也是蕭錚先生編輯的，名《民國二十年代中國大陸土地問題資料——1932-1941年間未刊行土地問題調查資料》，也是成文出版社出版，其中包括各地一百六十八項的實際調查，以及一百七十六種報告，總共兩百冊，是很大的一套資料。

台灣的土地文書為中央研究院史語所張偉仁教授所編輯的《台灣公私藏古文書影本》，共十輯，收五千六百餘件從十七世紀到二十世紀間台灣各地地契、土地田賦收據、借約，合同、土地買賣、田地訴訟等各種原始資料文件，內容極　豐富，有高度的研究價值。

除方志與其他有關的資料以外，哈佛燕京圖書館的中文特藏就是叢書，約一千四百種左右，共六萬餘冊，這是《中國叢書綜目》中所著錄的一半。館藏的明刻叢書有三十四種，其餘大部分都是清刻的，還有一些民國出版的。館藏中最早的一部叢書是《百川學海》，一百種，一百七十九卷，二十冊，宋左圭編，明弘治十四年（1501）刻本。此書次於南宋俞鼎孫之《儒學警悟》是中國第二部叢書。哈佛燕京圖書館最著名的叢書還是《武英殿聚珍版叢書》。這部叢書是乾隆時代武英殿木活字印本，收錄一百三十八種，八百一十二卷，是規模最大的木活字本。據統計，現存僅十餘部，大陸有九部，哈佛燕京、普林斯頓大學葛思德圖書館、美國國會圖書館、大英圖書館，臺北故宮博物院各有一套。

其次就是類書。哈佛燕京圖書館所收藏的明清類書有三百五十種，據《中國古籍善本書目》著錄，明人所刻類書（不包括叢書），現存約三百數十種，其中北京圖書館有一百一十種，台北國家圖書館一百零二種，美國國會圖書館五十五種，哈佛燕京圖書館七十五種。館藏明代類書中，除《永樂大典》與其他聞名的如《三才圖繪》，《山堂肆考》，《唐類函》等之外，還有一些規模較小但非常實用的小型類書，其中有十餘種是其他圖書館所沒有收藏的，如《新刻增補音易四書五經志考萬花谷》，明崇禎余開明刻的巾箱本；《新刻增校切用正音鄉談雜字大全》，明末的刻本。關於哈佛燕京圖書館所藏一部分明代類書著錄，可參考裘開明先生撰《哈佛大學哈佛燕京學社圖書館明代類書概述（上）》，載《清華學報》新編第二卷第二期（1961年6月）。

清代的類書則以雍正六年內府銅活字印本《古今圖書集成》最爲著名，共一萬卷，目錄四十卷，共五千零二十冊，裝訂爲五百零三函。哈佛燕京圖書館所藏，每冊的扉頁有乾隆的「皇華宮寶」同「五福五代堂古稀天子寶」的璽印，每冊的末頁也有「皇華宮寶」、「八徵耄念之寶」的璽印。所以這一套也是非常寶貴的文物。

其次講到禁書。哈佛燕京圖書館所藏的禁書大部分爲乾隆年間編纂《四庫全書》時以「違礙」之名而遭禁燬的書籍。館藏以明刻本的禁書最多，有七十四部。其中特別珍貴的是《新鍥李卓吾先生增補批點皇明正續合併通紀統宗》十二卷，卷首一卷，附錄一卷，明陳建撰，袁黃，卜大有補輯，李贄批點，明末刻本。是書現僅存兩部，另一部在台北的國家圖書館。大陸有藏，但爲殘本。其他稀見的禁書還有《周忠毅公奏議》四卷，明宋建撰，《行實》一卷，明周廷祚撰，天啓刻本《撫津疏草》四卷，明畢自嚴撰，及《皇明資治通紀》三十卷，明陳建撰，明刻本，有明末定西伯張名振的批點。這些都是好書。

禁書中除了牽涉到違礙政治嫌疑的書之外，還有內容較爲穢褻的小說。哈佛燕京圖書館從戲劇大師齊如山先生哲嗣處於1960年代購得十餘種，包括《兩肉緣》、《妖狐艷史》、《載花船》、《覓蓮記》等這些作品。從齊如山先生處購得的戲曲小說善本共七十二種，除上述者外，尚有明刻本如明金陵唐氏刻本《新刊全像漢劉秀雲台記》、《長命鏤傳奇》、明吳郡書業堂刻本《邯鄲記》等。故吳曉鈴教授，中國小說戲曲專家，曾至哈佛燕京圖書館閱讀這批書籍，並錄出小說中二十三種有齊如山手筆跋尾者，發表〈哈佛大學所藏高陽齊氏白舍齋善本小說跋尾〉一文，載《明清小說論叢》第一輯，瀋陽春風文藝出版社1984年出版，有高度學術價值，可供參考。

再其次，就是抄本與稿本。哈佛燕京圖書館所藏的中文抄本是美國之冠，共一千兩百多種，分訂爲四千五百六十冊，除《永樂大典》兩卷以外，還有明朝黑格抄本《明文記類》，《南城召對》，後者爲《四庫》底本，明藍格抄本《觀象玩占》（董其昌舊藏，有翰林院大方印）。還有清初毛氏汲古閣抄《離騷草木疏》，爲全美僅有之「毛抄」；清東武劉氏（喜海）《宋明賢五百家播方大全文粹》，四十冊，道光二十八年抄；嘉靖三年朱絲欄精抄《鑲黃旗滿洲鈕古祿氏弘毅公家譜》，十五冊；《八旗叢書》清恩豐光緒年間抄本，三十五種、二十八冊，爲恩豐私藏，其中有愛新覺羅敦敏撰《樊齋詩鈔》。敦敏爲曹雪芹至友，《樊齋詩鈔》中多收其與曹雪芹唱和詩，爲研究曹雪芹生平罕見之資料。或許更爲珍貴的是文瀾閣《四庫全書》中駱賓王的《駱丞集註》，四卷，與《熬波圖》，兩卷，後者是製造海鹽的繪冊。

在稿本當中，最珍貴的就是《楊繼盛彈劾嚴嵩稿》。楊繼盛，字仲芳，號椒山（1516-1555），因彈劾嚴嵩而下獄被斬，稿本是他的親筆，是特別重要的一項文獻。另一本是丁日昌的《炮錄》，也非常寶貴。滿洲皇室敬徵（1785-1851）的《敬徵日記》，也是罕見的資料。

稿本中尙有尺牘。哈佛燕京圖書館所藏尺牘中以《明諸名家尺牘》爲最。共七百五十三封（其中一百零二封僅存封無函），都是明嘉靖、隆慶、萬曆年間名人及其他人士致徽州方太古的信札。方氏是當時徽州的一位殷商，交遊甚廣，信扎來至二百餘人，其中不乏當時名人，如書法家周天球、文人王世禎，戲曲家汪道昆，甚至戚繼光、臧懋循等人。有如此數量的明人手扎想或舉世無雙。這批尺牘已由北京社會科學院研究員陳智超教授（陳垣先生的哲嗣）考證著錄，撰寫爲《哈佛燕京圖書館藏明代徽州方氏親友手札七百通考釋》，將列爲《哈佛燕京圖書館書目叢刊》第八種。

館藏文集以明清最多，明刻本兩百餘種，其中罕見者不少，如明萬曆、崇禎年間遞刻明陳敬宗撰《重刻澹然先生文集》三卷，詩集三卷；隆慶刻本，明侯一麐撰《龍門集》二十卷；明江百榕撰《清蘿館集》五卷，崇禎元年江氏自刻本等，這些都是在大陸的全國聯合目錄《中國古籍善本目錄》中沒有著錄的。館藏清刻詩文集約在一千六百種左右，《中國古籍善本書目》中沒有著錄的也不少，如鍾大源撰《東海半人詩鈔》，二十四卷，嘉慶刻本；清王濬撰《紅鵝館詩鈔》二卷，乾隆吳益高刻本；以及清宋廷桓撰《漱石詩鈔》七卷，乾隆刻本；清潘松竹撰《梅軒遺草》一卷，乾隆十四年（1776）張裕昆刻本等。

剛才已經講到兩部最著名的活字本：雍正六年銅活字本《古今圖書集成》和乾隆時期木活字本《武英殿聚珍版叢書》。哈佛燕京圖書館還有一部最早的銅活字本，即《會通館校正宋諸臣奏議》，一百五十卷，宋趙汝愚輯，明弘治三年（1490）華燧會通館銅活字本，一百二十冊。據沈津先生的調查，現存大陸臺灣者均爲殘卷，哈佛燕京圖書館所藏應爲孤本。館藏清代木活字本亦有一百一十餘種。

哈佛燕京圖書館藏套印本甚夥，有朱墨套印、三色套印、四色套印、及五色的套印本。朱墨套印本中，乾隆五十三年（1788）曹溶聽雨齋朱熹《楚辭集注》，八卷，且爲活字本，極爲出色。三色套印中有明天啓二年（1622）吳興閔氏刊朱墨綠三色套印梁蕭統編《文選尤》八卷。四色套印中有淩瀛初萬曆間刻朱墨藍黃四色套印劉義慶撰《世說新語》八卷，四冊。館藏本書口有彩繪。第一冊爲仇英《秋江待渡圖》，第二冊爲王紱《秋江泛艇圖》，第三冊爲唐寅《山路松聲圖》，第四冊爲文徵明《雪景圖》。所繪極爲細緻，一筆不苟，且彩色鮮明，爲世所罕見者。五色套印中，乾隆間內府朱墨藍綠黃五色套印《勸善金科》，二十卷，卷首一卷，亦不多見。

套印本中，尙有畫譜，其中《十竹齋書畫譜》及《芥子園畫傳》爲代表作。館藏《十竹齋書畫譜》六部，有康熙五十四年（1715），嘉慶二十二年（1817），及日本明治十五年（1882）覆明崇禎六年（1633）原刊包背裝本等。《芥子園畫傳》館藏八部，有康熙十八年（1679），乾隆四十七年（1782），嘉慶二十二年（1817），民國十年（1921）及日本寬延元年（1748）翻印本等。

館藏法帖共三十六種，其中以《戲鴻堂帖》與《山希堂法帖》最爲知名者。

除上述以外，哈佛燕京圖書館還有一些比較獨特的資料，現舉其兩種以爲例。一種是基督教傳教士先後在南洋與中國大陸的出版品，一種是中國傳統皮影戲的唱本。前者是在南洋，廣州、澳門、福州、上海各地出版的關於基督教和神學方面的著作，例如教會史、人物傳記與聖經。還有介紹西方文化的書籍，包括西方歷史、地理、人文科學、社會科學的經典，以及科學技術、生理學、醫學方面的資料。就《聖經》一種而言，就有各種不同方言的翻譯版本，有上海話的、有廈門話的、有寧波話的、有廣東話的。這些出版品是從西文翻譯成中文，或是傳教士的中文著作，撰者都是當時很知名的傳教士，包括林樂知（John Young Allen, （1836-1907）、李提摩太（Timothy Richard,1845-1919）、丁韙良（William Alexander Parsons Martin, 1827-1916）、艾約瑟（Joseph Edkins, 1823-1905）等。其中也有少數作者不是傳教士，像昨天我已經提過的傅蘭雅（John Fryer）。這些著作出版的時期大部分是從清道光初年（1820）到宣統末年（1911），也有一些民國時代的。資料共七百多種，其中以《聖經》的全部（新舊約）和新約單獨的部分如〈馬太福音〉、〈約翰福音〉等類最多，計一百六十九種，其餘就是一般介紹基督教的著作。這批資料由前哈佛燕京圖書館副館長賴永祥教授編目後，由波士頓 G.K. Hall 公司1980年出版書目，名爲 *Catalog of Protestant Missionary Works in Chinese*。同時，資料的本身也由荷蘭的 Inter Documentation Center 攝製縮影微片發行，稱爲 Protestant Missionary Works at the Harvard-Yenching Library on Microfiche。

另外一種就是中國民間傳統皮影戲的唱本。這批唱本共一百一十八種，都是手抄。1930年代故哈佛大學方志彤教授在北京從吉順班購得，後由方教授遺孀轉讓哈佛燕京圖書館。全部一百一十八種唱本戲曲名稱可參見哈佛燕京圖書館館電子目錄「皮影戲劇本」書名項下。

最後，我介紹一些哈佛燕京圖館所藏相當特別的關於近代和當代中國的資料文獻。首先要介紹的是胡漢民先生的檔案。

胡先生（1879-1936）是國民黨的元老，這批檔案是民國二十年到二十五年間他私人往來的函稿，有兩千五百多件，包括他自己所發函電的底稿與他收到從各方來的原件。收件和寄件人包括當時所有重要人物，諸如蔣中正、汪精衛、閻錫山、馮玉祥、張學良、孔祥熙、李宗仁、鄒魯，白崇禧，陳濟棠，居正，宋哲元，韓復渠，龍雲，劉湘，楊虎城，杜月笙等人，還有胡漢民與日本首相犬養毅和軍事領袖松井石根（當時台灣日本皇軍司令官）來往的信件。

胡漢民當時因與蔣中正意見不合，1931年二月辭立法院院長職，旋被軟禁在南京湯山，當年獲釋後，各省軍政人士均欲與其聯盟反蔣，同時南京中央亦竭力邀請他返寧。這是這些函件的時間和政治背景。函件中討論的內容非常廣泛，是研究民國政治史、當時國民黨分裂問題、反蔣問題、福建事等等，非常的重要的一批文獻。

其次，哈佛燕京圖書館藏有魯迅與茅盾的親筆信件手稿。昨天我講到史丹佛大學胡佛研究所時曾經提到一位美國人Harold R. Issacs（伊羅生）先生。1930年代他在中國時，曾蒐集若干中共地下刊物，後來轉讓給胡佛研究所。他在上海的時候，準備挑選一些有代表性的中國年輕左翼作家的作品，翻譯成英文向西方介紹，並取了一個書名叫 *Straw Sandals: Chinese Short Stories, 1918-1933*（「草鞋腳：英譯中國短篇小說集，1918-1933」）。爲了這個原故，他請教於魯迅先生和茅盾先生，請他們建議一些作家與小說，這些信件和手稿就是當時魯迅和茅盾給他的。

這是1930年代的事，但是伊羅生要翻譯的小說，在四十年後的1974年才由痲省理工學院出版部出版。翻譯出版後，伊羅生問我哈佛燕京圖書館是否願意收集這批資料（他當時在痲省理工學院作研究工作），我當然欣然接受了。

這批資料包括：(1)魯迅和茅盾給伊羅生的書信手稿六封（魯迅三封，茅盾起草，茅盾和魯迅共同署名的三封），(2)魯迅，茅盾自傳手稿各一件（魯迅的是比別人代抄的，茅盾的是他的親筆），(3)茅盾親筆擬的《草鞋腳》選題目錄及對巴金、冰心、吳組湘、歐陽山、草明、張瓴、東平、漣清等人的作品及生平簡介手稿一份，(4)茅盾親筆擬的介紹二十九種《中國左翼文藝定期刊編目》手稿一份，(5)魯迅辭1935年9月紐約《小說雜誌》（Story Magazine）譯載他的小說《風波》的稿費致伊羅生的英文信一封。這些資料中，除魯迅的「《草鞋腳》小引」收入他的《且介亭雜文》和《魯迅全集》第六卷，「魯迅自傳」收入《魯迅全集》第七卷外，其餘都未收入1976年出版的《魯迅書信集》。1979年我爲美國圖書館訪問中國代表團成員，順便將這批文獻的影印本分別贈送北京圖書館與上海圖書館。他們喜出望外，沒有想到還這批他們不知道的文獻。當年十二月，北京圖書館出版的《文獻叢刊》中，把這一批資料全部複印並加以註釋出版，供諸於世。

除了這兩批重要的中文稿件外，還有兩批是英文的，它們對於研究民國時期西方教會在中國發展高等教育和社會事業是非常珍貴的文獻。第一種是廣州嶺南大學從1884年（當時叫 Canton

Christian College）建校到1952年停校這一段相當長的時間的該校董事會的紀錄。這一批檔案不但對研究嶺南大學的校史是不可或缺的頭手資料，也是對於教會在中國發展高等教育的歷史有很高的參考價值。從這批檔案中也可以看到一些當時廣東的社會、政治、經濟情形，以及當時中國政府一般的高等教育政策，特別是有關教會學校的作措施。另外一種是費奇先生（George A. Fitch）和他的夫人 Geraldine Fitch 在中國的檔案。費奇夫婦在1920年代服務於中國基督教青年會，二次世界大戰後與大陸國民政府及南韓政府政要頗多往還。這批檔案對基督教青年會在中國大陸的發展是相當重要的資料，並且包括少數他們與臺北及漢城政府要員的函件。費奇夫人以其反共著作 *Formosa Beachhead*（1953）聞名。費奇先生的回憶錄 *My Eighty Years in China* 由臺北美亞出版社1967年出版。

哈佛燕京圖書館對應時資料的收集也很重視，比如釣魚台事件，文化大革命，天安門民運等。1970年代初期，保衛釣魚台運動在中國大陸，香港，臺灣進行得如火如荼時，在美國、加拿大的中國留學生、香港留學生和台灣留學生也紛紛響應，遊行示威，同時發行了各式各樣的通訊，簡報，宣言，特刊等。哈佛燕京圖書館收集了一百五十多種這類的出版品，大部分是1971年發行的。雖然很多都很零星，有些只有一期、兩期，但是總合起來，這批文件是研究海外中國知識分子對這個愛國運動的反應的非常重要的文獻。

其次就是文化大革命紅衛兵的資料。在文化大革命期間，中國大陸出版界幾乎完全停止了正常的出版工作。《毛澤東選集》和《毛澤東語錄》差不多是唯一的出版物。但是在文革的初期有一個特別的例外，那就是各地紅衛兵小報的發行。從1966到1968這三年間這些小報是當時各地文革新聞的主要來源。它們登載了很多中共領導在這個時期的指示，包括毛澤東的「最高指示」，被清算的人的「反面教材」，其中包括中共高級幹部和領導，甚至於像劉少奇，鄧小平等人。小報上也登載了一些罕見的關於中共黨史的資料。

哈佛燕京圖書館所藏的紅衛兵小報最初來自香港，之後差不多全部都由華盛頓中國研究資料中心（Center for Chinese Research Materials-簡稱 CCRM）供應。從1975年到1999年 CCRM 所複印發行的紅衛兵小報及其他相關的紅衛兵資料約一千七百多種，裝訂爲五十六大冊。一兩年內將有另四十大冊問世。這些資料是研究文革的最重要的原始文獻。

在應時的文獻檔案中，哈佛燕京圖書館所藏最引人注目的還是該館在六四民運被鎮壓後建立的「天安門檔案」。這個檔案在目前是美國大學圖書館中範圍最大、最廣的。當時建立這個檔案的原因是因爲有感於天安門事件在中國現代史上的重要性，並且有鑒於當年五四運動時的文獻，由於無人收藏，現已湮滅不存，所以認爲有建立這個檔案爲歷史存証的必要。之後，募到一筆專款來支持這個工作，達數年之久。這個檔案方得建立。

檔案的主要內容如下：⑴從1989年4月15日（胡耀邦逝世）

到6月4日這段時間內在天安門散發的各式傳單六百八十餘件；⑵當時在北京張貼的一千七百多張大字報的照片；⑶一千九百六十二張北京、上海等地的民運照片，包括一百七十五張幻燈片；⑷一百三十九卷錄影帶，包括美國主要的幾家電視台，特別是 CNN，關於民運的報導，香港電台的粵語報導，以及北京中央廣播電台的報導。錄影帶中的一卷稱爲《六四風波紀實》是中國政府在六四不久後，很匆促地製作的爲六四天安門武力鎮壓辯護的紀錄片；⑸錄音帶八十幾卷，其中大部分是「美國之音」在六四以後兩週內的報導和在1989年有關天安門回顧的廣播討論;而最具歷史性的,是六月三號晚上到六月四號早上，在天安門現場的一捲錄音；⑹六、七份美國學者當時在中國大陸的目擊記，地點包括北京、鄭州、和成都；⑺六四不久後在香港、大陸、美國、英國、法國發表的有關天安門民運的中文文章和小冊子六十四種，包括中共北京市委宣傳部六月五日發表的《北京發生反革命暴亂的事實眞相》和解放軍畫報社出版的《北京平息反革命暴亂》，其餘都是反對用武力鎭壓的出版品；⑻九十二種天安門後在大陸、香港、和臺灣出版的中文書籍和三十四種緊接著六四中國留學生在美國、英國、法國、和德國出版的期刊。大都相當零星，但也有二三十期的。內容都是反鎭壓、反中共的。⑼三十九種英文書籍、小冊子，和一百三十餘篇在各地發表的英文文章。在書籍中最有研究價値的是一部兩冊包含當時從海外發到中國民運組織和個人以及他們發到外面的傳眞信件和其他有關的資料；⑽中文剪報，來源於大陸、香港、臺灣、和美國出版的報紙，其中香港的最多，有十三種，包括明報、星島晚報、文匯報、大公報、東方日報、香港經濟日報、信報等。臺灣其次，全部是中國時報，時間是從1989年四月十一日到七月一日；⑾英文剪報四十六種，包括美國，英國，和泰國出版的報紙。份量最多的是 New York Times（紐約時報），其餘是泰國曼谷出版的 Bangkok Post（曼谷郵報），Washington Post（華盛頓郵報），Asian Wall Street Journal（亞洲華爾街時報）, Hong Kong Standard（虎報）等；⑿兩件血衣。

哈佛燕京圖書館所藏電子資料中有兩種是比較特別的。一種是中央研究院建立的「二十五史全文檢索資料庫」。這個大家都很熟悉，不必多講。它之所以特別，是因爲它是在美國僅有的兩部之一。另一部在西雅圖華盛頓大學東亞圖書館。館藏另一種特別的電子資料是一個數位資料庫。這個資料庫的內容是四千七百九十多張黑白照片。這些照片是一位享有國際盛譽的德國女攝影家 Hedda Morrison（1900-1991）從1933年到1946年在中國各地所拍的，裏面包括建築，街頭景象，服飾，宗教儀式，手工藝等。這批照片不但技術高超，而非常有歷史價值。數位庫可以上網察看：http://hcl.harvard.edu/harvard-yenching。

哈佛燕京圖書館簡史和它的中國典籍蒐藏概況的介紹就此結束。如有任何問題，請提出來討論。謝謝大家。

當代中國研究在美國的資料問題

什麼是當代中國，在美國，一般的定義就是1949中共執政以後的中國大陸。當代中國研究就是1949以後的中國大陸研究，包括中國共產黨黨史的研究。今天我要講的是下面幾個問題：美國圖書館如何收集當代中國研究的資料，有甚麼樣的成就，在收集當中有些甚麼困難。

從1949年末期到1970年末期這三十年間，因爲美國和中國沒有外交關係，中國政府不准許美國圖書館向中國大陸直接採購，所以，美國圖書館收集的中國大陸出版品都是從中國大陸以外，主要是香港和日本，間接而來。在那一段時間，採購大陸出版書籍的工作非常艱巨。但是，經過不斷的努力和各方的協助，美國圖書館還是有相當大的成就。這個過程，我在下面會有詳細的敍述。首先，我們要講美國圖書館收集中共黨史和其他有關資料的歷程，因爲這是1949年以前就開始的事。

中共黨史原始資料的收集始於胡佛研究院（Hoover Institution）。前天我已經講過，胡佛研究院1948年正式成立中文部以後曾經先後入藏 Issacs Collection 和 Nym Wales Collection，其中有許多從1920年代末期到1930年代中期有關中共黨史的原始資料，大部分都是地下出版品。後來又從陳誠副總統處用縮影微捲複印來1931-1934江西蘇維埃共和國的檔案（Chen Cheng Collection），因此，中國共產黨1921年建黨後十餘年間的許多頭手的黨史資料第一次在美國出現，給研究中共黨史的學者提供了不少的方便。（詳情可參照我的講稿「美國東亞圖書館蒐藏中國典籍之緣起與現況」）。

1937-1945八年抗戰期間，國共合作，中共的出版品可以公開發行，但是爲數不多。其中最重要的是先後在漢口，重慶發行的中共機關報——新華日報。當時美國的東亞圖書館只有部份的收藏。

抗戰勝利（1945）到中華人民共和國成立（1949）這一段期間，中共和它的外圍組織有好些出版物，例如，在延安出版的「解放日報」（1941-1947）、「解放」周刊（1931-1947）、「群眾」（1938-1947）、剛才提到的在重慶出版的「新華日報」（1938-1947），和其他中共控制的「邊區」（晉察冀，陝甘寧，晉冀魯豫，晉綏，豫鄂等）的出版品。這些資料美國的東亞圖書館當時也有些收藏，其中胡佛研究院由瑞德夫人（Mary Wright）第二次世界大戰後在中國收集的最多。它們的內容，可以參照前天我提到的薛君度教授根據胡佛研究院收藏所編輯的關於中國共產黨運動的兩冊書目：*The Chinese Communist Movement*：*An Annotated Bibliography of Selected Materials in the Chinese Collection of the Hoover Institution on War,*

*Revolution, and Peace.*上冊包括 1921-1937年，下冊1937-1949年。

從1949年末期到1970年代末期，如我剛才所講，在美國收集大陸的資料是一個非當困難的時期。不但我們不能直接向大陸採購，我們甚至於不知道他們有些甚麼樣的出版品。因爲當時他們每月出版的「全國新書目」，還有每年出版的「全國總書目」，都禁止出口，除零星的走私到香港的一些外，我們都無法窺其全貌。在報刊方面，除了一些全國性的出版品，如「人民日報」，「光明日報」，「歷史研究」，「經濟研究」等外，任何地方報紙和許多刊物。我們也都不能訂閱。雖然我們在香港和日本可以買到大陸准許出口的書刊，但是，他們的供應因爲受到大陸政治和經濟的影響，以致時有漲落。在1959-1961鬧全國大飢荒的時期和文化大革命時期（1966-1976），因爲原料缺乏，社會不安，出版品均有大量的下降，以致到出版業差不多全部癱瘓的程度。因此，自然影響到出口的數量。根據中國「出版年鑑」，1958年出書總數是四萬五千四百五十九種，期刊八百二十二種，報紙四百九十一種。三年後，人民公社和大躍進失敗以後，1961年出版書的總數降到一萬三千五百二十九種，期刊降到四百一十種，報紙下降到兩百二十一種。和1958年比較，書籍下降百分之七十，期刊百分之五十，報紙百分之四十七。在1967年，文化大革命開始的第二年，生產更有繼續的下降，當年出版的書籍僅有兩千九百二十五種，期刊二十七種，報紙四十七種。假如把這些數字和1961年出版的統計來比較，書籍下降是百分之七十八，期刊下降百分之九十三，報紙下降百分之八十三。如果跟1958年比，那就更不能比了。這說明了當時中國政治、經濟影響到出版業的程度，和在海外收集大陸資料的困難。

當時，除採購以外，還能和北京圖書館交換（北圖是當時中國政府指定可以作國際交換唯一的圖書館）。但是，因爲他們提供作爲交換的出版品，都是可以從香港或日本買到的。所以，對我們並無特別的好處。同時，在1950年代到1960年代這個時期，他們提供給美國圖書館交換的書刊，在種類和數量方面，都遠不如當時他們給蘇聯和東歐國家的，這是我1964年到蘇聯、東德、波蘭、捷克斯拉夫所發見的。

雖然有上面所講的這些困難，美國的東亞圖書館從各種不同的管道、在1950到1970年代間也收集了一批數量相當大的大陸出版品。這些資料的來源，除在香港和日本購買的以外，還有香港、台灣和日本的研究機構，和美國政府。

在香港方面，友聯研究所（Union Research Institute）是一個重要的資料來源。該所1949年後在香港成立，專門研究中國大陸問題。因爲他們近水樓臺，收集大陸的資料比較容易，所以他們收到一些旁人沒有辦法收到的大陸出版品，特別是報刊，他們剪貼分類，建立了一個很大的資料庫。成爲當時西方研究當代中國的學者必經之地，因爲當時外國研究大陸的學者，特別是美國學者，無法去大陸查詢資料或進行研究工作。後來，友聯把這些剪報作爲兩千多捲的縮影微捲，美國密西根大學的亞洲圖書館有收藏全部。友聯研究所1980年代解散後，這批剪報的原件轉讓香港浸會大學（Hong Kong Baptist University）圖書館。

友聯研究所當年也出版兩種期刊，對研究大陸問題非常有用，一種是 *Union Research Service*，每月平均出九期，每期載從大陸報紙或期刊選出來的資料的英文翻譯；另一種是 *Union Research Service* 的副刊，叫 *Biographical Service*，每期載一名或兩名中共中、高級幹部的傳略，這些傳略對於不見經傳的領導幹部有特別的參考價值。除此之外，友聯研究所也不時得到一些甚至於在大陸都不是公開發行的資料。這些，友聯也供應給研究者使用。並且，友聯下屬的友聯出版社，根據這些資料也出版了一些資料專輯，諸如「劉少奇選集」、「彭德懷案件專輯」、「中共中央委員會文件—1956年9月–1969年4月」、「紅衛兵資料目錄」、「中國大陸佛教資料匯編」等。這些當時都是很重要的參考資料。

在這個時期，台灣從自己的管道，也得到很多非常罕見的中共文件，其中最聞名的就是「連江文件」和「五七一工程紀要」。「連江文件」是台灣蛙人突擊隊在1964年突擊福建連江縣所獲得的一批文獻，其中包括1962年到1963年間一些政府重要的指示、生產計劃、和當時所謂「社會主義教育」的文件。「五七一工程紀要」是1971林彪計劃反毛澤東的行動計劃大綱，「五七一」是「武起義」的諧音。當時臺灣在發表這個文件以後，很多人都不太相信，以爲是台灣假造的，因爲這個計劃看起來很幼稚，用的文字也很粗淺，假如林彪要用武起義來反毛澤東，而用這種好像小學生寫的一樣的計劃，可信的程度實在是太低。但是，最後林彪逃亡，飛機失事，死在外蒙古後，大陸證實這個文件是林彪造反的罪狀，大家才相信這個文件的眞實性。

另外，臺灣在相當長的一段時間裏，又發表了很多臺北方面所得到的中共中央文件。這些資料經常在「問題與研究」和「中共年報」上登載，並且又有英文的翻譯在 *Issues and Studies*（「問題與研究」的英文版）上發表。除此之外，臺灣也出版了一些資料選輯，諸如「劉少奇問題資料專輯」、「共匪文化大革命重要文件彙編」、「王洪文、張春橋、江青、姚文元反黨集團罪證」等。還有大批從1970年代末期到1980年代初期的大字報和地下刊物，匯集成爲「大陸地下刊物彙編」，共二十冊，以及六四天安門大量的民運文獻，包括大字報、傳單、和其它有關文件，當年（1989）出版，名爲「火與血之眞相：中國大陸民主運動紀實」，共四、五千頁，是收集六四文獻最多的一個專輯。再有，就是在文革時期紅衛兵印行，臺灣再行翻印的「毛澤東思想萬歲」數冊。這些都是紅衛兵在1967到1969年間從各處抄出來的毛澤東1950年代末期和1960年代初期的講演原稿。這些原稿非常重要，因爲後來「毛澤東選集」所收的毛澤東講演稿都是經過修正，有些跟原來毫不相同的。有鑒于此，哈佛大學兩位教授和我三個人從這些資料裡撿出十九篇毛澤東從「百花齊放」時期（1956-1957）到「大躍進」時期（1958-

1960）有關鍵性，而與後來官方印行的有差異的講演稿原稿，翻譯成英文，名爲 *The Secret Speeches of Chairman Mao: From the Hundred Flowers to the Great Leap Forward*（哈佛大學出版部1989年出版）。中文的原件由華盛頓中國研究資料中心（Center for Chinese Research Materials）複印發行。

上面所講的都是從臺灣而來的關於1949以後的資料。其實，臺灣也有很多關於1949以前中共黨史的資料和1920年代國共合作的檔案。這些檔案和資料分別收藏在國民黨黨史委員會、司法行政部調查局、和國防部軍事情報局。黨史會收藏的檔案包括關於民國十三年國民黨改組，孫中山先生開始聯俄容共，以至北伐完成後國民黨清共，在南京成立國民政府那一段時期。黨史會的檔案由中央研究院近史所在1968年至1969年間出版了一共十一大冊的目錄，名爲「中國近代史資料調查目錄」，其中第三冊列出該會所藏1924年到1936年的全部檔案的細目。

調查局的圖書館藏書十餘萬冊，還有大量的檔案，其中包括有相當數量的中國共產黨1949前的原始資料，是台灣收藏這一類文件最多的圖書館。這些資料包括中共各個領導階層——中共中央、省縣市鎮、各級支部——和他們外圍組織的各式文件，其中有內部通訊，他們出版的期刊，標語、傳單等。密西根大學三個研究生——Peter Donovan, Carl E. Dorris, Lawrence R. Sullivan——曾經使用過調查局的資料，而且在1976年出了一本小冊子，名爲 *Chinese Communist Materials at the Bureau of*

Investigation, Taiwan，共一百零五頁，可作參考。日本東京書商雄松堂，曾得調查局的許可，從這些資料中選出四百多件，大部份是關於抗戰時期的文件，攝製成二十多捲縮影微捲，名爲「有關中國共產黨史料」，公開發行。國防部軍事情報局收藏的中共的原始文件不多，約一千多種左右，很多都是從山東來的。1960年代該局在臺灣國際研究所召開的第一屆「中美中國大陸問題研討會」時，曾出一本目錄，名爲「共匪二十年代至五十年代原始文件與書刊」，供出席該會的學者專家參考。上面提到的 Donovan, Dorris, Sullivan 合編關於調查局的藏書目錄中，對情報局的收藏也有簡略的介紹。

在日本方面，剛剛我已講到，在1970年代末期以前，東京是我們採購大陸書刊除了香港以外的第二個地方，當時，東京的神田區是購買大陸出版品最好的地方，其中有三家書店最爲有名：大安，極東，和內山。內山書店是魯迅先生的日本好友內山丸造創辦，後來由他的兒子經管。這三家常有一些在香港買不到的書刊，所以，它們是很好的採購來源。除了這些書商以外，還有一些日本的研究所，如日本國際經濟研究所，他們也有從大陸來的獨特的資料，可以供應複印本。同時，東洋文庫和日本國會圖書館的資料也可以公開。但是，我想日本方面對當代中國研究最大的貢獻還不是這些書籍的來源，而是竹內實教授所編撰的「毛澤東集」。此書1970年至1972年出第一版，十冊；1983年修訂，仍十冊；1983年到1985年又出「補卷」九冊；1986年出「別卷」一冊，總共二十冊。這部書爲甚麼如此重要？因爲竹內實教授花了多年的功夫，收集了非常零星而又分散的毛澤東1949年以前的著作、講演、通信等，並且把它們和1951年中共官方出版的「毛澤東選集」對照，指出它們不同的地方，並加以註釋。因爲這項工作的浩大，和它的研究價值，美國一位世界著名研究毛澤東的 Stuart R. Schram 教授（大陸譯他的名字爲施拉姆）在一個書評上說：「這部書在很多年後，對所有研究1949以前毛澤東言行著作的人，還會是一部不可或缺的標準著作」（譯文）。

美國政府對當代中國研究在資料方面也有特別的貢獻。美國駐香港總領事館，從1950年開始作了很多大陸資料的翻譯工作，除供政府的參考外，並供應大學及其他研究機構使用。主要的有下列幾種：

(1) *Survey of China Mainland Press*（中國大陸報紙一覽），日刊。1950年11月1日創刊。每期30頁到50頁，選自大陸主要的報紙報導、社論、新華社發行的的新聞稿之類。

(2) *Selections from China Mainland Magazines*（中國大陸雜誌選輯），周刊，1955年8月1日創刊。每期30頁到40頁，選譯各種雜誌的有關及時問題的文章五、六篇。

(3) *Current Background*（時事背景），周刊，1950年6月創刊。每期有一專題，10頁至20頁，內容根據各種報章雜誌的報導而加上分析。

美國政府提供學術界的翻譯的資料還有另外幾種。一種是 Joint Publications Research Service,簡稱爲 JPRS。1957年開始，

JPRS 的目的是爲美國聯邦政府各部會提供世界性的資料翻譯工作。這些翻譯後來也供應學術界使用。翻譯關於中國大陸的資料來自大陸本身、日本、蘇聯、和其他的國家。關於中國的翻譯有下列幾種：

(1) Communist China Digest.（中共文摘）

(2) Translations on Agriculture, Animal Husbandry, and Materials（農業，畜牧業，原料）

(3) Translations on Industry, Mining, Fuels and Power（工業，礦業，燃料，電力）

(4) Translations on Trade, Finance, Transportation and Communications（貿易，財政，運輸，交通）

(5) Translations on Science and Technology（科技）

美國政府也提供大陸的地方廣播爲學術界使用。這些廣播可以補香港總領事館翻譯的不足，因爲它的地區範圍很廣，同時它的資料也比較即時。除這些翻譯的資料以外，美國政府也前後轉移了一些重要的報刊給國會圖書館，以供學術界研究之用。在1960年代，國務院轉移給國會圖書館從1949年到1960年的中國地方報紙，共一千二百種。雖然這些資料非常零星，很多只有一期兩期的，但是，在當時美國圖書館根本無法收集任何中國地方報紙的時候，就是這些零星的資料也覺得非常寶貴，特別是，因爲在它們當中有很多時省級以下的報紙，它們的重要性也就不難想象到了。這批報紙後來都登錄在1985年國會圖書館出版，黃漢柱（Han-chu Huang）和任學勤（Hseo-chin

Jen）合編的 *Chinese Newspapers in the Library of Congress*（「國會圖書館所藏中文報刊目錄」）。

1963年國務院又移交了一種更重要的資料給國會圖書館，這個資料就是中國人民解放軍總政治部出版的「工作通訊」，是人民解放軍內部的一種機密刊物，只分發到團級以上的幹部，其中如有涉及到極機密的資料的時候，就只分發到師級以上的幹部。可見其機密的程度。國務院轉移給國會圖書館的共二十九期，出版的時間是1961年1月1日到當年的8月26日，缺第九期。據揣測，很可能是這一期載有極機密的資料的緣故。這份資料不但是極爲罕見的大陸軍方的內部刊物，同時也可以幫助我們了解一些當時大陸鬧全國大飢荒的狀況。因爲大陸新聞封鎖，當時飢荒的情形外面只是略知其皮毛。從「工作通訊」裏可以看到較多的報道，以及解放軍內士氣低落的問題。這批資料公開以後，受到研究當代中國學術界的普遍歡迎，最後，胡佛研究院把全部二十九期翻譯成英文，由鄭喆希教授主編，名爲 *The Politics of the Chinese Red Army: A Translation of the Bulletin of Activities of the People's Liberation Army*, 1966年胡佛研究院出版。出版後，很受學術界的重視，研究中共軍事問題的專家前後在知名的學報如 *China Quarterly*, *Asian Survey* 等均作了詳盡介紹和分析。

上面我已提到，文化大革命開始以後，大陸正常的出版業務受到空前的干預，可以說是到了完全停頓的狀態。當時除了「毛澤東選集」、「毛澤東語錄」之外，差不多沒有任何另外的出版物。正在那個時候，香港複印了一批從大陸走私出來的紅衛兵小報，如「東方紅」、「新北大」、「井岡山」之類。雖然這些小報登載的，有些都是「反動有理」之類的煽動性的文章，但是也有很多在旁的地方看不見的資料，諸如中共中央各級的訓令，首長的指示，特別是毛澤東的「最高指示，還有當當時被清算的人的「反面教材」，包括甚至於鄧小平、劉少奇、葉劍英這些中共領導。這些「反面教材」，主要是鮮有人知的關於這些人過去的一些言行、歷史，紅衛兵從很多地方抄來，作爲鬥爭他們的罪狀的。這些小報還經常登載「號外新聞」，其中有各地的消息和紅衛兵的動態。因爲這些內容，加上當時沒有其他的書刊可以購買的情形下，歐美和日本的圖書館都在香港搶購這些小報，於是洛陽紙貴，一份本來只要美金五元的，漲到二十五元，複印商還供不應求。造成了一種非常不正常的現象。

在這種情況之下，美國研究當代中國的學術界，一致認爲開發這些資料另外的來源是迫不及待的任務，希望一方面能夠收集的更多一些，同時也希望能夠減輕採購的成本。於是，就求助於「當代中國聯合委員會」(Joint Committee on Contemporary China, 簡稱 JCCC）。這個委員會是由各校遴選研究當代中國的學者組成，其目的在促進美國關於當代中國的教學與研究，隸屬於 American Council of Learned Societies（美國學術團體委員會）及 Social Science Research Council（社會科學研究委員會），故稱爲「聯合委員會」，經費主要來源是福特基金會（Ford Foundation）。

JCCC 一向對研究資料的收集非常關心，於是向美國國務院說項，呼籲他們公開政府所收集的紅衛兵資料，與學術界共享。國務院的反應很肯定，認為原則上可行，但是希望「聯合委員會」有人先去看看這些資料，再決定是否它們的公開眞正有益於當代中國研究。「聯合委員會」邀我擔任這個任務，1967年夏，我赴國務院閱讀了一批他們選出來具有代表性的資料。閱讀後，我喜出望外，因為我所見的不只是紅衛兵小報，而且還有許多其他的資料，諸如當時油印的中共首長像周恩來等在淩晨接見紅衛兵代表的談話紀錄等。之後，我建議國務院把這些資全部公開，而且愈早愈好。國務院同意以後，如何複製發行這些資料又是一個問題。當時，「中國研究資料中心」（Center for Chinese Research Materials）正在籌建中，咸以為這個中心應該是最理想來負責辦理這件事的機構，但是，當時離開中心建立的時間還有一年，學術界欲先睹為快，於是要求哈佛燕京圖書館暫時代勞。哈佛燕京圖書館收到國務院最初的幾批資料後，把它們作為縮影微捲，以成本計向各東亞圖書館發行。這樣，比在香港以二十五美元購買一份紅衛兵小報的時候，就有天淵之別了。1968年，中國研究資料中心在華盛頓成立，就開始負責繼續辦理這個複印發行的工作。迄今，該中心以國務院供應的，和其歷年向各處收集的類似的資料，已複印發行一千七百多種小報和其他紅衛兵的出版品，分訂為五十六大冊。預計明年將再出四十大冊。

中國研究資料中心自開辦以來，已成為美國當代中國研究重要的一環。但此並非出之偶然，因中心成立之目的，就是在於充實美國當代中國的研究資料。1960年代初期，美國學術界深感美國所藏當代中國研究資料之不足，擬他山攻錯來充實自己的收藏。「當代中國聯合委員會」（JCCC）遂有調查世界各國收藏大陸資料之議。冀能吸取教訓，以爲美國學術界之參考。聯合委員會旋邀我擔任此項工作。1964年全年，我走訪西歐、東歐、北歐、蘇聯、東亞（中國大陸除外）、以及印度的主要研究機構和圖書館，調查他們研究當代中國的情形，資料收集的狀況和來源，和與我們交換資料的可能性等等。之後，在調查報告中，我有在美國成立一非盈利性的全國性資料中心的建議，其任務爲與世界各國圖書館及研究機構建立資料交換關係，以收互利之效。在聯合委員會接受這個建議之後，福特基金會於1968年撥款五十萬美元，在華盛頓美國研究圖書館協會（Association of Research Libraries）下成立「中國研究資料中心」。中心成立後。以向國內外圖書館借用或交換的方式，複印了大量的不單是關於1949年以後當代中國的資料，並且包括了從1912年到1949年出版，美國圖書館未曾收藏或收藏不完整的，罕見的中文研究書刊。中心成立三十餘年，有口皆碑，厥功至偉，紅衛兵資料的發行即其一例。

文革以後，大陸的出版事業恢復正常，根據官方統計，文革結束後兩年（1978年），全年出版的書籍已經恢復到一萬四千九百八十七種，期刊恢復到九百三十種，報紙恢復到一百八十六種。這比在文革開始後第二年（1967年）全年出版的兩千九百二十五種書籍，二十七種期刊，四十七種報紙，實有天淵之別。之後，在1985年，有更顯著的增長。1985年書籍出版的總量達到四萬五千五百零三種，期刊四千七百零五種，報紙一千四百四十五種，以後逐年都有增加，根據最新的統計，公元2000年出版的書籍有十四萬三千三百七十六種，其中新書八萬四千二百三十五種，期刊八千七百二十五種，其中中央級的有二千一百九十四種，地方出的有六千五百三十一種，報紙有兩千零七種，中央級的兩百零九種，地方一千八百零一種。很明顯的，大陸出版事業不但已一日千里，而出版地區的重心也由中央轉移到地方。此一現象，從另一個角度也可以看出。目前大陸出版社共五百六十多家，其中中央級的有二百一十多家，全部集中在北京，占出版社的總數百分之三十九，地方出版社卻有三百四十多家，絕大部分在省、市、自治區政府機關所在地，占出版社的總數百分之六十一，這個現象和大陸改革開放的政策有密切的關係，中央的絕對控制權，至少是在出版方面，已漸被溶蝕，業已分散到地方上去。

還有一點值得我們注意的，就是現在出版事業中，當年意識型態掛帥的情形已不復存在。根據官方統計，2000年全國書籍出版總數爲十四萬三千三百七十六種（新書八萬四千二百三十五種），馬克思主義、列寧主義、毛澤東思想這一類的書籍只有兩百三十六種（新出版的一百六十八種），其他最多的是關於文化、科學、教育、體育這方面的書籍。這幾種合起來一共是五萬八千五百一十三種，當中，除了再版書以外，新書有二萬五千五百九十三種。其次就是文學，有一萬零七百五十六種，包括新書八千零九十三種。再其次是工業技術，有一萬六千二百六十七種，新書一萬一百二十三種；經濟，九千二百零七種，新書六千七百五十一種；醫藥衛生六千三百二十九種，新書四千零八十種；語言、文字，六千三百零一種，新書三千六百六十七種；政治、法律，五千五百零九種，新書四千一百零三種；歷史、地理，四千四百零二種，新書三千六百八十四種。由此類推，可以看出在大陸改革開放和「社會主義市場經濟」政策下，他們書籍出版的優先次序。不但如此，政府從嚴格限制書刊出口到現在專設貿易公司鼓勵出口，也是一個極大的政策上的大轉彎。目前，從國營的三家大公司——中國出版對外貿易公司、中國國際圖書貿易公司、中國國際進出口公司——和規模比較小的在各大都市的公立或私立的公司都可以直接購買。同時，各大學也積極地發展和美國圖書館的交換工作，到大陸的旅客也可以自由購買書籍。所以，現在收集大陸的資料，可以說是四通八達，目前的問題是不怕沒有東西可以買，就怕自己的經費不夠。根據中國出版對外貿易公司的目錄，2002年可以訂閱的期刊就有五千一百零七種（人文、社會科學和科技約各佔一半）、報紙一千三百六十六種。並且，很多報紙，包括「解放軍報」，都已經上網，與當年全面禁止出口的情形，如同隔世。大陸也發展了不少的資訊網站。一個最有用的、可以和這些網站鏈路的是香港中文大學中國研究服務中心（Universities Service Center For China Studies）的網站（http://www.usc.cuhk.

edu.hk）。他們和大陸鏈路的有雜誌網站三十六條、報紙一百六十二條、新聞網站三十九條、和大陸各級政府（中央，地方，全國性組織）的網站五百七十條。

五十年來，美國東亞圖書館收集當代中國資料的過程已如上所述，他們究竟有些什麼樣的成就？這可以分兩個階段來講。第一個階段是從1949年中共成立政府到1976年文革結束。在這個時期，我上面已經講過，因爲不能向大陸直接購買和其他各種原因，美國東亞圖書館採購大陸出版書籍的工作非常艱巨。但是，也如我上面所講的，在這個時期，我們從香港，臺灣，日本，以及美國政府方面得到不少非常重要的資料，爲當代中國研究作了很大的貢獻。簡言之，在這個階段裏，美國東亞圖書館收集大陸資料的成就還是相當可觀的。這一點，可以在我和南加州大學 Peter Berton 教授合著，胡佛研究院1967年出版的 *Contemporary China: A Research Guide*（「當代中國研究指南」）求證，因爲那本書所著錄的關於研究當代中國的大量書刊、報紙都是根據當時美國東亞圖書館所收藏的資料。第二個階段是從1976年文革結束以後到現在，特別是從1980年代初期開始，因爲中國出版業在那個時候才恢復正常作業。在這一段時間裏，美國東亞圖書館收集中國大陸出版品的工作比以前要順利得很多，如上面講到的，現在不是沒有出版品可買，而是採購的經費夠不夠的問題。在這個情況下，他們的收藏，特別是關於當代中國的研究資料，究竟有些甚麼樣的成就？關於這個問題，近年還沒有人做過調查。也許可以用我在1989年作過的一次調查來幫助答覆這個問題。雖然這個調查不能完全代表當前的情況，但是，在1989年大陸的出版業恢復正常差不多已經十年，當時的供應和需要的情形，基本上和現在差不多。所以，1989年的數據還是比較有它的代表性的。

根據中國官方統計，1989年大陸全年出版的總額是書籍七萬四千九百七十四種，其中五萬五千四百七十六種是新書，一萬九千四百九十八種是再版；期刊六千零七十八種，其中大概有一半是屬於科技方面的，一半是屬於人文和社會科學的；報紙一千五百七十六種。我調查問卷的結果（問卷發給國會圖書館和下列九個大學東亞圖書館：哥倫比亞大學、耶魯大學、普林斯頓大學、芝加哥大學、密西根大學、加州大學、胡佛研究院、同華盛頓大學。加上哈佛燕京圖書館共十個。國會圖書館提供的資料在分析時沒有使用。原因下面再作解釋）顯示，這九個東亞圖書館在1989年入藏的大陸出版書籍最低的是二千四百種，最高的是八千種，其餘都是在五千到六千左右；期刊收集最少是四百九十六種，最高的一千二百七十九種，這九個圖書館中有四個是在一千種以上，還有兩個是九百種；報紙最低的是四十二種，最高的一百二十三種。這些數字和大陸出版的總數比較，乍然看來，當然差得很多很多。但是，如果我們了解美國東亞圖書館收集資料的範圍，這個差異就不會如此之大了。首先，美國東亞圖書館不收集科技、教科書、兒童讀物、畫片之類的出版品，文學作品也是選擇性的收集，外國文學的中譯本，也不收集。所以，如果我們從大陸出版的總數裏減掉這些出版品的數字，據我的統計，美國東亞圖書館1989

年，在它們採購的範圍裏，可能收集大陸當年出版的人文科學和社會科學方面的書籍大約只是三萬四千一百種，可能收集的期刊有三千三百二十一種，報紙一千五百七十六種。用這個調整的數字和這九個東亞館的數字來比較的話，這九個圖書館1989年收藏的書籍是大陸當年出版書籍總量的百分之七到百分之二十三，期刊是百分之十五到百分之三十八點五，報紙是百分之零點六到百分之七點八。

在看這些百分率的時候。我們也必須要注意到下面幾點：第一，大陸在人文科學和社會科學方面出版書刊的總數，除了部分是有關當代中國的，其餘包括近代中國和古代中國，並且有些是完全和中國無關的，比如關於外國的，或者世界性的，或者在社會科學方面的理論書籍；第二，近年大陸出版的通俗小說和外國文學的中文翻譯很暢銷。1989年大陸出版的文學書籍近一萬四千種，文藝期刊六百多種。美國東亞圖書館，除文學作品和文藝期刊有選擇性的收集外，對其餘的都不收集；第三，大陸每年再版書的數量甚高。1989年的再版書近一萬九千五百種。美國東亞圖書館鮮有收集再版的；第四，大陸書刊，就是在1989年，也並非可以全部出口。1989年出版的期刊六千餘種，根據中國出版對外貿易公司的目錄，當年准許出口的僅兩千五百餘種，而且其中百分之四十一是科技的刊物。在書籍方面，凡是指定爲「內部」的出版品，也是一律不准出口。換句話說，雖然這九個圖書館收藏的百分比不高，但是，這些百分比不能代表他們實際的成就，因爲依照我上述的分析方法，除去在美國東亞圖書館收集範圍以外的書刊，這九個圖書館的收藏是要比這些百分比要好得很多的。也可以說，1989年在東亞圖書館收集範圍內的關於當代中國的書刊，如果不是全部都已收集，至少絕大部分是已經收藏了。所以，如果1989年的數據能夠作代表的話，第二個階段的成就是非常顯著的。

剛剛講到我的問卷也發給國會圖書館，但是，最後沒有用他們提供的資料。原因為何？因為國會圖書館的情形比較特殊，他們收羅萬象，根據他們提供的資料，1989年國會圖書館總共收集（包括購買和交換）中文書籍一萬五千多冊，期刊一千八百三十五種，報紙三十種。據我所知，國會圖書館所收書籍中包括科技，教科書、少數民族語言、和各種通俗的資料。因為他們提供的總數下沒有分類，所以無法知道這些出版品佔他們收集總量多少，因此，如果把這些性質不完全相同的國會圖書館的數據和其他九個圖書館的數據一視同仁來作分析的話，結果就會有很大的偏差，失去了它的代表性，所以，就只有割愛，沒有用他們的數據了。

我們已經提到早期在美國收集大陸出版品的困難，和在文革以後在開放政策下的若干方便。但是，目前還存在一些問題，這些問題恐怕不是短時間，甚至於在可見的將來可以解決的。首先，是我已經提到的「內部」書刊的問題。「內部」在大陸包括的範圍很廣泛，凡是非官方發行，或者未經官方許可發行的書刊，或者是限制閱讀的文件等都是「內部」。但是，它們並不是「秘密」或者「機密」的文件。「內部」基本上分為兩類，一類是「內部發行」，一類是「限國內發行」。「內部發行」又分好幾種，包括「內部文件」，「內部資料」，「內部參考」，「內部讀物」，還有「內部控制發行」，和「黨校系統內部發行」等等，著作出版前的「徵求意見稿」和「試用本」也都是「內部」。因爲「內部」出版品印刷量有限，而且不能外銷，所以採購就非常困難。但是，有時也可以從香港或他處收購一些走私的原版或複印本。華盛頓「中國研究資料中心」就已經收集到兩百多種「內部」出版品，業經複印發行。例如，「中華人民共和國最高人民法院特別法庭審判林彪江青反革命集團案主犯紀實」，北京法律出版社，1982年出版、「中國人民解放軍大事記，1927-1982」，中國人民解放軍軍事科學院編，1984年出版、「廬山會議實錄」，李銳編，北京春秋出版社，1989年出版。廬山會議爲甚麼重要？因爲彭德懷，在人民公社和大躍進失敗以後，在廬山會議上給毛澤東上萬言書，不爲毛澤東所納，旋被清算。李銳當時是中央政治局高級幹部，廬山會議任記錄，此書爲中共黨內領導鬥爭的眞實報道，因此，被列爲「內部控制發行」的文獻。但是，這些仍然是極小極小的一部分。1988年北京中華書局出版「1949-1986全國內部發行圖書總目」，其中登錄一萬七千七百五十四種「內部」初版本和五百四十七種增訂版本。可見「內部」種數之多，包括範圍之廣。雖然近年情形漸有好轉，但有「內部」標示的書籍爲數仍然眾多，包括學術著作，繼續爲採購大陸書刊的一個障礙。

其次，就是圖書交換的問題。雖然美國圖書館目前可以自由和大陸圖書館交換資料，但是，問題依舊，那就是，他們所提供的書刊都是很容易在市面上買到的普通出版品，同時，沒有任何圖書館樂意提供協助代覓另外的書刊以作交換。還有一個更難解決的問題。那就是交換方式，就是說，交換應該以數量計，抑或是以價格計。因為中國和美國書價的差異很大，以數量計，於美國的圖書館不利，如以價格計，則對中國的圖書館不利。所以，在這個情況下，交換的工作並不積極。一般而言，和大陸有交換關係的圖書館通常都在一種君子協定的默契下進行。換言之，這種交換既不以數量計，也不以價格計，而是由雙方主觀判斷什麼是公平的交換。這顯然不是長久之計。如果有更客觀的方式，交換的工作會變得更活躍，對雙方也會有更大的裨益。

再其次，就是關於學術性書籍出版的問題，近年來大陸的出版公司成為自負盈虧的獨立經濟實體以後，再由於市場競爭的衝擊，出版學術性書籍的困難遂與日俱增，因學術性的著作銷路不高，無法盈利，反而比較平庸通俗的書容易進入市場，所以，出版社在制定選題計畫和出書品種時，經濟效益乃為其優先考慮。因此，學術性書籍的出版不易，甚至於在已發出預告後，因預訂不多，遂取消出版之決定者，時有所聞。除非作者津貼，否則無法出書。有鑒於此，大陸有些政府機構，如國家科委，社科院，和一些大學，已設立出版基金，據稱，目前全國這類基金的總額有四千餘萬人民幣，用其孳息補助學術性的出版。從需要的角度看，這筆補助並不是很大，但卻是一個良好的開端。所以,大陸學術性著作的也是值得繼續觀察的事。

今天的報告,就此結束。謝謝大家。

故宮博物院所藏典籍文獻

吳哲夫

本校這次邀請名學者吳文津教授來校，作三場有關美國漢學資源收藏及漢學研究情況的專題演講，由於吳教授長期負責美國哈佛大學燕京學社，因此，對美國蒐藏、整理、研究漢學的概念，如數家珍，娓娓道來，精彩異常，既提升了中文系同學對文獻資源的新認知，也開啓了許多治學的新觀念，這類學術活動的舉辦，實深具意義。中文系爲使同學也能針對國內文獻研究資源有深入的瞭解，以使日後能就近利用參考，特別又配合吳教授的演講，請專家介紹台北地區典藏最豐厚的故宮、國圖、中研院等三個機構，就其收藏內容作廣泛的探討。個人因在故宮圖書文獻處服務三十餘年，因此，報告故宮的收藏遂由我來承擔。能藉吳文津教授之光，有此機會將以前工作心得與各位同學分享，至感光榮與高興。

談到故宮博物院的文獻資源，約可分爲善本舊籍及清代檔案兩大項別。就故宮收藏的善本舊籍圖書而言，包括清代以前的刊本、活字本、名家批校本、稿本、舊鈔本以及少數的高麗和日本的古刊或舊鈔本。這批圖書可貴之處是宋元明清各代精印精鈔本往往而在，不僅抄印精良謹慎，足以校勘後代各種傳本，而且許多的圖書，目前流傳極爲稀少，已成爲孤本秘笈，在文化資源保存及提供學術研究上，均具相當價値，尤其是在古籍日漸散亡的今天，這批圖書的傳存，更深具意義。

故宮今日藏書的來源，除了清末楊守敬先生購自日本的觀海堂藏書及近年各界捐贈者外，全是清室各宮殿裡的舊藏。例如昭仁殿裡的天祿琳瑯圖籍；位育齋中的善本珍品；景福宮、懋勤殿內的殿本和佛經；養心殿儲藏的宛委別藏；文淵閣存放的四庫全書；摛藻堂措置的四庫薈要；清史館所藏的方志圖書等等，都是享譽古今的宮中著名藏書。其他再如上書房、鍾粹宮、景陽宮、萃賞樓等處的零星收藏，也富珍本。民國十四年，故宮博物院正式成立於北平，接收清點各宮殿所貯文物圖書，爲有效利用及方便典藏，乃設立圖書館典守全部藏書，當時按照藏書的性質，將圖書分成若干類，以利保管，大概的情形是：

善本藏書

善本顧名思義是指精印、精鈔或精校的書籍。但是現在大家所稱的善本書，多半是指明以前的舊刊本以及稿本、名家批校本、舊鈔本等等。故宮善本藏書，則專指舊日劃歸善本書庫儲放的圖籍。這批圖書共九百多部，一萬餘冊，原來散藏在清宮各處，其中以昭仁殿裡的天祿琳瑯藏書最負盛名。

清代秘府藏書，是承自明內府的集藏而來。清康熙時，國力漸強，對圖書蒐輯，日益增多，到了乾隆時期，宮中府內藏書更爲可觀。乾隆七年，下令內廷翰林檢點內府善本，集中移藏於昭仁殿中，並賜名「天祿琳瑯」，這就是天祿琳瑯藏書名稱的來源。茲後過了三十年，又重加整理，由于敏中等人編成《天祿琳瑯書目》，因此該批藏書，都有目可查。可惜當嘉慶二年十月時，乾清宮交泰殿發生大火，昭仁殿因爲毗連而受波及，全部圖書據說都化爲煨燼。同年，嘉慶君令重新點檢內廷圖書，由彭元端等人，按前目的遺規，又編成書目，是爲《天祿琳瑯書目後編》。事經百年以後，清室雖然覆亡，可是清宮還由遜帝溥儀居住。溥儀在禁宮中，曾將宮中許多珍貴書畫及舊籍，借賞賜名義，移到宮外。民國十三年清室將宮禁全部讓出，政府組織清室善後委員會，接受清點清宮文物，發現舊日屬於昭仁殿的天祿琳瑯圖書，已佚失不少。當年《天祿琳瑯書目後編》著錄的六六四種，僅存三一一種，分別爲宋版三十四種、景宋鈔本三種、遼版（實爲宋版）、遼鈔本各一種、元版六十二種、明版二〇三種、明鈔本七種。考其佚失情形則以宋版書最多，約八成左右，其次爲元明版書。除了上述三百十一種外，故宮成立後，劃歸善本藏書的還有宋刊本二十三種、影宋鈔本四種、金版三種、元刊本五十一種、明刊本二一一種以及舊鈔本一四七種。這些書原多散藏於遜清各宮殿中，書的精美與價值不在天祿琳瑯圖書之下。故宮善本藏書中有許多價值連城的珍本，例如世所豔稱的宋黃唐注疏合刻本群經，今日存世者絕少，故宮即有《周禮》、《論語》、《孟子》三種；又如宋乾道九年高郵軍學刊本《淮海集》、宋乾道二年韓仲通泉州刻本《孔氏六帖》，以及被顧廣圻贊爲天地間第一等至寶的宋淳祐十二年魏克愚徽州刊本《九經要義》本中的《儀禮要義》等書，全是寰宇間孤本；其他如宋刊《春秋集注》、《龍龕手鑑》、《高麗圖經》、袁州本《郡齋讀書志》、《孔氏六帖》；元刊本的《元豐類稿》、《元典章》、《宣和畫譜》、《佩韋齋集》等等，都是流傳絕罕的版本。這批書除稀少貴重外，本身又校勘精細、槧鍥講究，足以表現宋元刻書印書的精美技巧，而各朝代各地方版刻書本之宏富，更可以看出我國宋元明時期各時各地刻書嬗遞變化的情形。這批圖書值得珍貴重視，不言可喻。

文淵閣四庫全書

《四庫全書》是大家比較熟知的一部大書，這部書是清乾隆三十八年下令修纂的。歷經十五年歲月，連底本共抄成了八部，另薈要二部。四庫全書是公認的一部大書，到底大到什麼程度呢？在此我們舉出幾個約略的數字，便可概括的明瞭。當時爲修這部書，特別設立四庫全書館以統籌辦理，任職館中的職員共三六〇人，而動用抄書的人數，達三八二六人，這還不包括派赴各地幫助收書的人員。當年修書的進度規定每天要抄全書四〇萬字、薈要二〇萬字。此部書連底本計算，全數約三十一萬多冊，再以每葉八行，每行二十一字統計（小注雙行），四庫館裡的謄錄人員，前後寫了約近百億字。書葉長度是每張三十二公分，如果逐葉接連，其長度超過地球直徑甚多。如此偉大的工程，利用舊時代的人力一筆一畫寫成，所消耗的時間、人力與財力可以想見。

由於修纂《四庫全書》的工程浩大，因此它也最負盛名，前人介紹的文章已不少，無需再詳加述說。不過厝放在七閣的《四庫全書》，文淵閣本是當年最先完成的，又儲放於內廷，皇上隨時可能抽閱，因此精美爲七閣之冠。經過近百年動亂，原有的七閣《四庫全書》，除此部外，僅存文津、文溯、文瀾三部而已，而彼三閣所藏的《四庫全書》，又隨神州蒙塵，我們還能保有其中最珍貴的一部，眞是難能可貴。

乾隆時代修纂的《四庫全書》，幾乎網羅了我國歷代圖書，因此《四庫全書》最大的貢獻是保存了許多罕見的古籍，以前張海鵬的《學津討源》及《墨海金壺》、錢熙作的《指海》及《守山閣叢書》等，及近年商務印書館影印的四庫珍本各集，都是從全書中摘出流傳較少的圖籍出版的。至於四庫據以抄錄的本子，有許多今日已失傳，端賴四庫全書才得以倖存，例如南宋慶元六年魏仲舉編刊的《五百家注音辯柳先生文集》，在中土久已佚傳，幸賴四庫全書本的著錄，才獲得保存。如此看來，四庫全書不但因其工程浩大足以爲之炫耀，而它在保存文化方面更深具貢獻。

摛藻堂四庫薈要

四庫全書薈要和文淵閣《四庫全書》是故宮珍藏抄本圖書之雙璧。乾隆下令修纂《四庫全書》時，已屆六十三高齡，因此深怕在有生之年，難以親自看見四庫全書的完成，於是在乾隆三十八年五月一日下令于敏中、王際華二人主持一項工作，將《四庫全書》中最精華的書籍，擷取出來，濃縮成一部小《四庫全書》，儲放禁宮之中，供其觀覽欣賞。

在于、王兩人主持下，動用許多人員，日夜趕工，終於在乾隆四十三年先後完成了二部，並由清高宗賜名爲《四庫全書薈要》。這兩部薈要分別庋藏於紫禁城裡的摛藻堂和長春園裡的味腴書室。可惜後一部在咸豐十年（一八六〇）和文淵閣《四庫全書》一併燬於英法聯軍之火。現在藏在故宮的這一部薈要，遂成寰宇孤本，珍貴可知。薈要共收書四六三種，二〇八二八卷，一一一七八冊，二〇〇〇函。在數量上雖比不上《四庫全書》，但它的精善卻凌駕《四庫全書》之上。從表面上看，用來謄繕薈要的底本應該和《四庫全書》相同，因此薈要和全書中共同收錄的書，似應無所差別，但事實並不如此，其主要原因是薈要從修書開始，就是籌備聖覽用的，所以對書的繕寫和校對方面特別小心講究，書的內容也就比《四庫全書》來的完整眞實，例如薈要各書大都保存原書的篇卷目錄，方便查閱，《四庫全書》則爲了節省篇幅都將篇卷目錄剔除；又薈要每冊之後都附有以諸家版本校正條目，而《四庫全書》則無；在提要方面，薈要也比《四庫全書》簡明精到；此外，最可貴的是，薈要保存了原書所有內容，而《四庫全書》則因爲政治因素，往往將清室認爲不利滿族統治的文字加以刪除。玆以北宋蘇洵的《嘉祐集》爲例，薈要本及全書本都是用徐乾學家傳是樓所藏，卷末提有紹興十七年晦日婺州州學刊本爲底本繕錄的，薈要本除保有書前目錄不若全書本全加以剔除以外，兩本之提要亦不一致，另薈要本多卷一審敵及卷四廣士兩篇，這兩篇的內容因爲語涉夷狄，所以《四庫全書》本刪去不錄，薈要本則予以保存，由此可知薈要本因專供御覽，大多保存了原書的本貌。

宛委別藏

清阮元任浙江學政巡撫時，努力搜訪東南各地的秘集，將《四庫全書》中未收錄的宋元以前圖籍，都加收錄，前後共訪的百數拾種，先請好友鮑廷博、何元錫等人審定，然後自己再親加詳訂，最後將原本或抄本做效《四庫全書》，每種各撰提要一篇，進呈內府。清仁宗得到這些書後，將之厝放養心殿，並賜名「宛委別藏」，後世便以此爲這批書籍的專稱。

宛委別藏這套書，現藏在故宮的共有一六〇種，這個數目和阮福所刻的《揅經室外集》中所記載一百七十三種，略有不符。不符的原因大概是：一、阮氏當年所奏的書，是分批呈進，每得一書，就撰進提要摺片一篇，後人零碎收集，遂混淆不清。二、可能是先撰好摺片，而書或因某種緣故未進呈。三、進呈內府後散佚。現存的宛委別藏之書，計分正、續、三編：正篇六〇種、續篇三〇種、三篇七〇種。這些書除了《致堂讀書管見》三〇冊是宋刊本、《春秋集傳》是元刊本以及三種明刊本、一種清刻本和六種《日本活字佚存叢書》外，都是據舊本影寫精鈔，寫本的格式都是影鈔原本，一律用朱絲欄，書式外表總長皆爲二九•五公分，寬十九公分。由於這批書都是罕傳本或據珍罕舊本影鈔的，所以後世給予極高的評價。

武英殿本圖書

清康熙十二年設立了武英殿刻書處，並簡派大臣管理，從此有清一代內府刻書都集中在武英殿，緣此之故，清朝內府的刻本被統稱爲殿本。武英殿的刻書，以康、雍、乾三期數量最多也最精美，字體既講究又工整，通常採用宋體和軟體兩種字體，印書用紙，多半是潔白如玉的開化紙，且楮墨精妙，實在稱得上端嚴雅麗，妍妙輝光。而書裝禙之考究，更是色香古邁，曠古少有。故宮所藏殿本書共五萬多冊、一千二百餘部，當今之世，收藏有關清內府出版的圖書，還少有超過此數量的，尤其是這些書含清代歷朝聖訓、方略、御製詩文集、奏議等等，相當完備，殊爲難得。

殿本書在精美之外，最重要的是校勘精湛，譌脱極少，所以能爲士林所重。同時被劃入故宮殿本書庫中儲存的，還有許多內府鈔本，這些內府鈔本都是精選當時名書法家繕寫，書法端莊流利，巧奪天工，尤其是袖珍小冊，蠅頭小楷更是鬼斧神工。另外還有清國史館志傳原稿三千四百冊，是嘉慶年間修纂繕鈔進呈本，是研究清史值得借重的寶貴資料。至於由武英殿刊刻的的滿蒙文圖書，故宮有二十三箱、九十二部、二二一〇冊之多，也是今日難得的滿蒙文史料。

觀海堂藏書

故宮的觀海堂藏書，其原始收藏人是湖北宜都人氏楊守敬先生。光緒六年（一八八〇）楊氏跟隨何如璋公使出使日本，正值日本推行變法維新運動，當時的日本人唾棄舊學，大量拋售舊有圖籍，楊氏趁機，大量搜羅，廉價購進，到了光緒十年（一八八四）返國時，全部舶運回國。民國四年守敬逝世，這批藏書由政府收購，一部分撥交松坡圖書館，另一部分儲於集靈囿，民國十五年始將儲於集靈囿的一萬五千多冊書籍，撥交故宮保管。

這批圖書依版本區分，有宋刊本十三種、元刊本五六種、明刊本三五八種、清刊本四五〇種、鈔本二四種、日本刊本三三〇種、日本鈔本四〇七種、韓國刊本二八種、共計一六六六種。其中有不少好書，也有不少稀世善本。例如宋建安余仁仲萬卷堂刊本《類編秘府圖書畫一元龜》一書，歷代藏書除了明《文淵閣書目》著錄外，都沒有記載過，這本書在國內可能久已佚傳，要不是楊氏從日本購回，我們無法知道此書的面貌。此書是部類書，所引用的經史文集各種材料，都是趙宋以前的書籍，因而這本書的復見，對於考校後世流傳的趙宋以前書籍，有很大幫助。同時這部書引用了許多現在已佚傳的圖書資料，對於輯佚工作，自然也有一定的貢獻。再如南宋建陽書坊刊《新編翰苑新書》，是此書現存最早刊本，書中的外集，明代以後諸家刻本皆未收錄，《四庫全書》著錄時也未收錄此外集，現在幸賴此寫本，還可以窺見原書崖略。由以上例子可以想見觀海堂藏書中，有許多圖書足以濟助我國公私藏書的偏隘缺憾。更值得注意的是這批圖書中收藏四〇八種醫書，多半是日本小島學古所舊藏，小島氏家裡三代為醫，收藏醫書繁富，其中有許多罕見秘本，而這些書都經過小島氏親加審訂校對，更珍貴實用，在大家熱心於漢醫學研究的今天，這批醫書更存在著獨特的價值。此外，觀海堂藏書尚有許多古舊鈔本，不少是影寫唐宋以前古卷子本，也是諟正後世傳存資料的最好依據。

方志圖書

中國方志之學，源遠流長，《周禮·春官外史》說：「掌四方之志。」鄭玄注此文說：「若魯之春秋、晉之乘、楚之檮杌。」可知《周禮》所說的志，雖然體例和以後方志圖書不盡相合，但卻同爲地方的史乘。這麼說來，二千年前，我國便有地方性的史書了。

我國地方志書，非常完備，縣有縣志，府有府志，省有通志，全國有一統志，卷帙繁多。到底全國有多少志書，到目前還沒有比較精確的統計。據國立北平圖書館所藏方志，在民國二十二年前已有五千二百餘部，除去重複書外，也有三千八百多種，這個數量相當可觀。就推測，全國以及近年新出的志書，應在萬部以上。民國四十三年國立中央圖書館曾編印《台灣公藏方志聯合目錄》，所載現存台灣各學術文化機構及黨政圖書館室所藏方志，共約三千三百餘種，這三千多種方志，藏在故宮就將近佔半數以上。故宮所藏的方志大抵還算齊備，從京師、直隸、盛京以下各府州縣幾乎都有。根據近年統計故宮藏方志一六五二種一四二八四冊，按省份分是江蘇八五種、浙江一五〇種、安徽三十一種、江西四九種、湖北一二六種、湖南四八種、四川一〇八種、西康三種、河北一八九種、山東一八〇種、山西一〇四種、河南一二八種、陝西一四二種、甘肅四五種、青海八種、福建四〇種、台灣一種、廣東八種、廣西二六種、雲南四九種、綏遠一種、貴州十一種、遼寧十四種、吉林三種、黑龍江二種、熱河三種、察哈爾十九種、寧夏四種、新疆三種。故宮所藏這些方志，是清嘉慶年間爲重修《大清一統志》從各地徵集而來的，所以這批方志多半是乾嘉以前所纂修的，其中不少是明代纂修以及原來的明抄本，因此故宮所藏的方志圖書，是年代比較久遠的。研究地方史料，對於志書的採用，新舊都應顧及，始不致流於偏頗不全，這樣一來，故宮的志書，就另具特色了。附帶一提的是，民國七十二年五月，國防部史政局將其所藏善本舊籍圖書移贈故宮，其中除明清版刻經、史、子、集各部圖書一一八種八三六二冊之外，還有大批方志圖書共一一〇〇種，九六二一冊。這些方志圖書，是日軍侵占華北時，爲經略參考之用，從華北各地徵集的。抗戰勝利後由交通部接收，以後移至國防部史政局庋藏。此批方志最大特色是以華北地區志書爲多，並旁及西北、塞外等地方，其中有不少珍貴難得的資料。例如明弘治十四年（一五〇一）胡汝礪等纂修的《寧夏新志》、萬曆四年（一五七六）劉效祖纂修的《四鎭三關志》等，都是目前國內台灣地區少見的志書，再如清孟定恭的《蒙古布特哈志略》、不著撰人的《烏里雅蘇台志略》則均爲原稿本，彌見珍貴。至於今年移交故宮代管的前國立北平圖書館善本書中，也有方志圖書四百餘種，其中以明代刊本居多，實爲版本及地方史料難得的文化遺產。由此亦可見，目前故宮所藏志書，不僅獨步國內地區，且更富研究參考價值。

佛釋經籍

故宮所藏的佛教經典，略分爲佛經、甘珠爾經、大藏經、龍藏經四大類。由於這批佛釋經籍是清內府珍藏，所以在裝潢上特別考究，其外表之晶瑩奪目、富麗堂皇，爲其他圖書所不及。此外，這些佛釋經典在版本及藝術上亦甚富意義。在版本上，這批佛釋經典包含宋、元、明各代刻本，可以考見我國歷代刻書印刷事業嬗遞情形，其中如《菩薩瓔珞本業經》是北宋福州東福寺所刊的崇寧萬歲藏經本，《妙法蓮華經》爲北宋皇祐三年刊本，《大方廣佛華嚴經》是北宋淳化間杭州龍興寺刊本。在舊本圖籍日漸減少的今天，南宋元明版本已甚罕覯，北宋刊本存世實稀如鳳毛麟角，則故宮佛釋經典中的版本，其珍寶可知。此外，這批書有許多極富藝術價值的珍品，例如董其昌手寫的《金剛般若波羅密經》，中峰和尚親筆的《妙法蓮華經》，張即之手潤的《大佛頂首楞嚴經》等，率爲名書法家的墨寶。這些手抄本，都是書法遒健、古樸華麗的上品。再如明代泥金寫本《大乘經咒》，蠅頭細楷，莊嚴宕逸，更是妙絕時倫。其他又如明宣德三年沈度寫繪本的《眞禪內印頓證虛凝法界金剛智經》、以緙絲織成的《佛說阿彌陀佛經》，清代刺繡的《無量壽佛百福莊嚴繡相頌》等，更是五光十色，集繪畫、絲織、刺繡各方面藝術成就於一堂。至於《甘珠爾經》、《龍藏經》，又都是乾隆間泥金藏文寫本，書法筆筆不苟，所繪佛像敦厚莊嚴，爲藝術珍品外，也是研究藏文的珍貴資料。還有一部朱文印本滿文《大藏經》不僅傳世絕少，也獨具風格。

內閣大庫藏書

清代初期，沿襲明代舊制，設內閣爲職掌中央政權的樞紐，一切政令由內閣發出，呈奏由內閣遞上去。到了雍正七年，設立軍機處以後，政令樞紐改由軍機處辦理，但該處偏重於秘密文件的管理，內閣仍掌管許多例行專件及重大典禮，並且各處所呈報及軍機處交出的文件，還是要存放在內閣。清代內閣，在故宮東南隅，文華殿之南，分東西大庫二座。由於大庫所藏歷朝檔案太多，而且輕重不分，長久保存，自多困難。因此每逢修理大庫房屋，照例要將水浸、蟲蝕、潮濕、霉爛的遠年檔案撿出，請旨焚化。宣統元年，庫垣大壞，內閣所儲檔案，又經過一次檢查，撿出待焚遠年破損檔案書冊，共計八千蔴袋之多，由當時內閣大學士監管學部之張之洞奏請將這批檔案移交學部，堆放在國子監南學，以後這批檔案書冊，輾轉歸諸中研院史語所、北京大學、清華大學等單位所有，而留存庫中的檔案書冊，後來撥歸故宮博物院文獻館儲放。

故宮博物院文獻館所得的內閣檔案，屬於文獻方面，留待下文敘述。但是內閣大庫除了明清檔案外，還有爲數不少的宋元明清舊刊圖書，這批圖書大部分撥交國立北平圖書館，該館將所有書籍分甲乙兩庫庋藏，甲庫所存善本書，於抗戰期間，爲避日本戰火，運送美國避難，並於民國五十四年十一月運返國內，後來移交故宮代為保管；乙庫各書則陷大陸。由於內閣大庫貯書，泰半是明文淵閣的孑遺，而文淵閣的藏書，又襲自宋元秘閣，雖然歷代典藏不盡完善，損失的很多，但因儲於秘閣，罕有人翻閱，故書品絕佳，觸手如新，而且頗多孤本秘笈，為世寶重。今厝放在故宮中的前國立北平圖書館藏書，以宋、金、元本為例，有宋刊本八十一種，元刊本一三三種，金刊本四種，即可概見其價值了，至於詳細藏書內容，有民國五十八年出版的《國立北平圖書館善本書目》可以檢尋，茲不另多加贅述。而內閣大庫另一小部份圖書，包括宋元明清刊本鈔本，原即藏在故宮，數量共二〇二四冊，二〇八種，雖然為數不多，但有不少好書。例如大家艷稱的《玄都寶藏》，是蒙古乃馬眞后時所刻道藏，至元十八年因僧道交惡，令焚道家經典，全藏經版因此不傳，所以蒙古道藏本現存世上的絕少，能夠考見的，只有《太清風露經》和《雲笈七籤》二種殘卷而已，後一部即珍藏在故宮內閣大庫藏書中。其他如宋版《晉書》、南宋紹興間贛州學刊本《文選》、宋鄂州覆刊龍爪本《資治通鑑》、宋眉山刻大本字《蘇文忠公奏議》等書，也全是傳世極少的本字，雖然這些書以殘帙為多，但是珍本秘籍能夠保存一鱗半爪，在舊版日見沉淪的現在，也極難能可貴。至於內閣大庫藏書中少數明清內府抄本書，如《大明會典》、《大明律例集解》等等，都是原抄本，對於校勘後代傳本，自有其價值存在。此外如《黑龍江公報》、《交通官報》、《學部官報》、《商務官報》以及清末各種統計表，則為研究清末歷史的重要資料，並可藉之以考知內閣大庫藏書的情況，故不可以量少而忽視之。

近年各界捐贈

古人常以為「泰山不讓土壤，故能成其大；河海不擇細流，故能就其深。」博物館也應該如此，唯有不斷的吸收藏品，才能更見美備。故宮有鑑於此，在維持藏品水準的條件下，近年來不僅接受各界捐贈，也留心於傳存精美古代文物的搜訪與購買。數年以來，接受捐贈的善本圖書，不下拾數次之多，其中最值得稱述的有兩件：一為徐廷瑤將軍捐贈的明清刻舊本書二二五部，二三九四冊，詳目見故宮出版的圖書季刊第二卷第一期。徐將軍字月祥，為抗日、戡亂名將，亦為我國機械化部隊之創建者，早年畢業於保定軍官學校，戎馬生活之餘，最喜藏書，曾在其家鄉安徽省無為縣建私人圖書館——撥雲樓，藏書十餘萬冊，供公眾閱覽，造福鄉梓，後以日寇侵襲，藏書散佚，僅選擇少許精本隨身攜帶，並輾轉運來台灣。當將軍垂暮之年，不以之為私蓄，全部捐獻國家，公諸社會，此種義行將永垂後世，為人欽仰。另外一件，則為沈仲濤所捐贈之研易樓藏書。沈氏浙江山陰人，自幼受其先世鳴野山房藏書的影響，一向對珍本古籍至為愛好，早年在上海經商，得閒即留意搜訪善本。當時大收藏家如合肥李氏、江安傅氏、聊城楊氏、常熟瞿氏、吳縣潘氏等所藏秘笈散出時，沈氏頗多購獲，並且闢「研易樓」藏之。其捐贈本院善本書，凡九十種，一一六九冊。經故宮考訂編目，計宋版三十二種、元版十八種、宋版而以元版補配者一種、明版三十一種、清版三種、手稿本二種、舊鈔本三種。自數量而言，雖不能稱豐富，但多屬精品，其中傳世絕稀者，如宋版《詩本義》、淳熙十六年原刊《朱晦菴集》、寶慶元年廣東刊《集注杜詩》、嘉定國子監刊《禮部韻略》、淳西元年刊《昌黎集》、建安余氏萬卷堂本《穀梁集解》、淳祐版《西山讀書記》、咸淳本《古今文章正印》、元版《近思錄集解》等等，都是今世僅存孤本，彌足珍貴。沈氏亦在晚年，將是批研易樓珍貴藏書，化私蓄爲公有，此舉將不止於嘉惠士林而已，亦將激俗勵世，永爲法式。

清代檔案

故宮除前述各項善本舊籍圖書之外，尙有豐富的清代檔案收藏，這批資料具有無限的史料價值。一九三一年，日本發動九一八事變。平津受到威脅，文物決定南遷時，清代檔案隨四批南遷文物運出，運出的大概內容爲：

第一批：以內閣大庫的紅本爲主。

第二批：主要包括軍機處檔案、滿文檔冊、月摺包、上諭檔、宮中檔奏摺、內務府上駟院、銀庫檔及刑部檔案等。

第三批：內容有康熙朝至宣統朝奏摺，內務府檔案奏稿、題稿、清史館之月摺，上諭及長編等檔案，軍機處上諭、月摺包等檔案及輿圖。

第四批：含內閣大庫紅本及宮中檔雜單等。

四批運出的清代檔案計三七七三箱，先後厝放於上海、南京及川黔等地區，雖展轉播遷，但均受到妥善保管，沒有絲毫損失。可惜當一九四八年徐蚌戰事發生，文物決定遷運台灣時，由於受限時間及運輸量，運台文物以清代檔案所佔比率最少，僅二〇四箱而已。運出者大致包括下列箱別：

宮中檔	三一箱	清史館檔	六二箱	詔書	一箱
軍機處檔	四七箱	起居注	五〇箱	雜檔	二箱
實錄	二箱	圖書	一箱	本紀	八箱

這批二〇四箱的清代檔案來台後，經故宮長期的編目並打號登錄等整理工作已釐出詳細數量，茲按類別製表如下：

宮中檔案摺　　一五五、七三〇件
軍機處檔摺件　　一九〇、八三七件

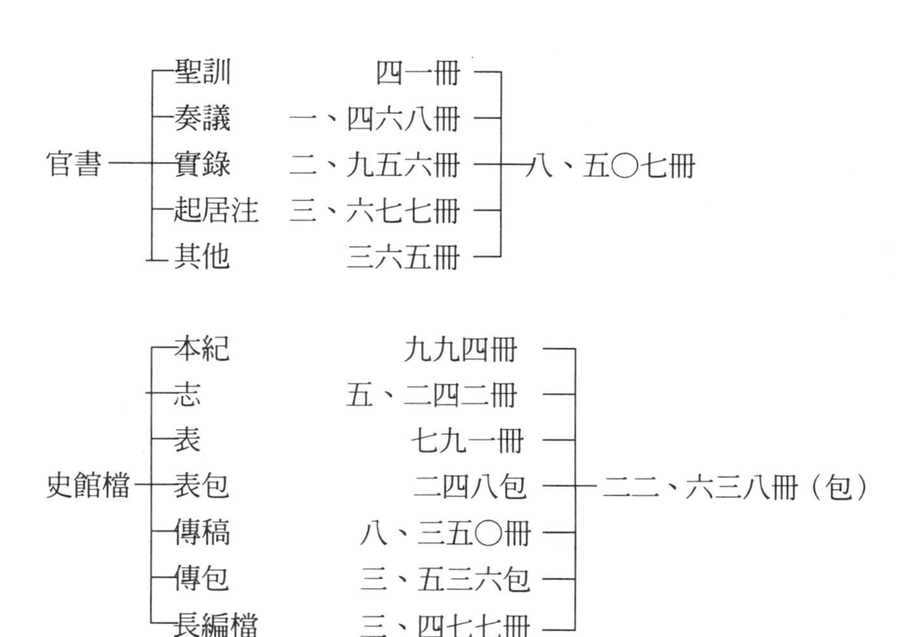

內閣部院檔	一、九八七冊
軍機處檔	六、二一八件（冊）
雜檔	四七四冊

以上共計三八六三五一冊（件、包）。這批近四十萬件的清代檔案，雖不及當日南遷的十分之一，但各類檔案略具，凡清代中央各部院衙門事務，都有涉及，爲研究清史第一手珍貴資料。故博爲發揮是批檔案的功能，除將其中部分檔案透過整理，專案出版外，又先後編印出版《國立故宮博物院清代文獻檔案總目》及《國立故宮博物院清代文獻傳包傳稿人名索引》二書，前者標列所有檔冊名目及現存年月冊數，而後者對所有傳稿、傳包均標明姓名及編號，頗便於查考使用。

歷劫不磨話國家圖書館珍藏古籍文獻

盧錦堂

前　言

對於古籍，尤其是珍貴的善本，大家所注意到的是：這都屬於古往今來許多聖賢哲人的心血結晶、應列入珍貴文化遺產、可藉以發揚傳統學術文化等方面；但在古籍流傳過程中所發生的感人故事，足見有識者爲維護傳統盡了不少力量，更讓這些古籍充滿著活生生的人味，不妨看作是古籍的另一種價值。試拿近人一則與館藏有關的佳話爲例：陝西師範大學古籍整理研究所所長黃永年先生，於民國四十五年自上海古籍書店購得清·蔣西圃手校並跋的清康熙間鈔本《河東柳仲塗先生文集》，僅存上半部，後從本館書目中赫然發現本館竟藏有此鈔本的下半部，係抗戰勝後所接收到的陳群上海藏書，於是在民國八十七年來函給本館，雙方終各以所藏影印交換，都能合成全璧，聞者當亦稱快。下面即說到正題。

一

民國十七年五月，大學院召開第一次全國教育會議，決議籌設國立中央圖書館於首都。民國二十二年一月教育部令派蔣復璁爲籌備委員，并派赴北平督運教育部留平的重要圖書及檔案（教育部檔案保管處，即遜清學部舊藏）到京，其中圖書46,000多冊，撥歸央圖以爲基礎，又有清順治至光緒間殿試策千餘本，而善本古籍則爲數極少，如《大明仁孝皇后勸善書》（明永樂五年內府刊本）。四月二十一日成立籌備處，租定南京沙塘園七號新蓋民房，遷入辦公，這是我國第二所成立的圖書館。（第一所爲宣統元年成立的京師圖書館，即後來的國立北平圖書館）。民國二十五年二月遷入前一年所購國立中央研究院成賢街總辦事處房屋，九月開放閱覽。

在經費方面，民國二十二年四月四日經行政院第九十五次會議通過，由交通部按月撥助2,000元。是年九月經中央政治會議核定二十二年度概算爲48,000元。迄至二十四年度仍照此數（其中購置費12,720元）。民國二十五年專呈教育部增加二十五年度經費24,000元。在圖書方面，籌備處成立之初接收教育部所轄國學書局（即江南官書局，初名金陵書局。顧炎武《肇城志》即清同治間該書局付梓前所清鈔的底本，言疆域建制、理財治安之道，與《天下郡國利病書》互爲表裡），更名爲國立中央圖書館籌備處木印部，並籌款修繕原置該木印部版片的南京朝天宮文廟尊經閣，整理書版，以便印刷。抗戰期間南京為偽組織佔領，朝天宮被偽軍占住，竟將版片作為柴火，全部燒燬。又籌備處成立之初，教育部長朱家驊面諭蔣主任以籌印四庫為首要工作，旋即與上海商務印書館簽約，影印《四庫全書珍本初集》出版，以便交換西文參考書籍等。當時採購方針，首重必備書籍，雖珍槧名鈔，限於經費，不易羅致，在能力範圍內，務必設法購藏，如明嘉靖三十二年（1553）李昭祥所撰《龍江船廠志》、太平天國刊《英傑歸眞》等。其他如金石拓片，則購得天津孟繼壎所藏舊拓石刻一千五百種及向各方收藏者三千四百多種，且參考用金石書籍亦多購備，以為預立金石專部的基礎。民國二十六年奉令西遷，又購得吳縣許氏善本數十種，直至抗戰勝利，不時留意成（成都）渝（重慶）兩地舊籍，但僅屬小規模而已。最重要的當推民國二十九年一月民國三十年十二月八日珍珠港事變爆發這一段間對淪陷區善本古籍的大規模搜購行動。

二

民國二十九年一月初，上海有識之士函電重慶教育部及管理中英庚款董事會，促以政府之力搶救善本古籍，電報是鄭振鐸起草的，後四日，重慶即覆電，而再三日，本館籌備處蔣復璁主任即動身前往香港、上海兩地聯絡有關事宜。民國二十九年八月一日，本館正式成立。三十年一月重慶分館落成。再說搶救善本古籍一事，蔣復璁首先潛赴香港，與中英庚款董事葉恭綽面商，暫定購書經費最初爲四十萬元，其中三分之二分配於上海，三分之一分配於香港。之後，赴上海，通過日僞海關，化名「蔣明叔」，在上海九天，上船回港時，由二位親戚陪同，以備出事可適時通知有關人員。當日方知道他的化名時，蔣氏已離滬三天。

爲替國家搶救善本古籍，有關人士在上海組成「文獻保存同志會」，用該會名義對外活動，以避敵僞耳目，並訂有「辦事細則」十條，其中提及：「凡購買圖書每部價格在五十元以上者，須委員全體簽字通過。」又：「重要之宋元板及抄校本圖書，在決定購買之前，應分別延請或送請各委員鑒定。」同志會主要成員，在香港方面有葉恭綽，字啓甫、玉甫、玉虎、譽虎，廣東番禺人，葉公超的叔父。創辦交通大學，中英庚款會董事之一。除負責香港方面的搜購外，又主持由滬寄港精品的轉運事宜。在重慶方面有：張壽鏞，字詠霓，浙江鄞縣人。曾任財務部政務次長、光華大學校長，他本身是一位藏書家。主要負責版本及價格的審定。何炳松，字伯臣，又字柏丞，浙江合華人。暨南大學校長。主要負責搜購經費的收付工作。鄭振鐸，字西諦，福建長樂人。曾任燕京專校教授，又任暨南大學文學院院長兼圖書館館長。他的工作主要是直接與書肆或藏書家接洽，以及所購圖書的保管、編目。留下較多有關資料。徐鴻寶，字森玉，浙江合華人。歷任北京大學圖書館長，國立北平圖書館採訪部主任及故宮古物館長。幫忙審閱圖書，後來古物遷台，也都是他選擇裝箱的。張元濟，字筱齋，號菊生，浙江海鹽人。商務印書館董事長。雖因年事已高，聲明不與於同志會辦事之列，但在具體工作上出了不少力。

同志會購書目標大致有五點：1.普通應用書籍。2.對於明末以來的史料，搜購尤力。3.明清二代未刊稿本。4.書院志及山志關係宗教、教育文獻甚鉅，正開始搜訪。對於抄本方志及重要家譜亦間加收羅。5.有關文獻的其他著作，有流落國外的危險者。總之，以實用及保存文化爲主，並運用技巧以有限經費購得上乘的善本。經過許多努力，江南著名藏書家舊藏珍本都被購得，但是美、日等國覬覦中國重要古籍已久，此時都想趁機搶購，同志會諸人更感維護國寶責無旁貸，再加上北平、上海兩地書肆推波助瀾，競出高價，同志會在蒐購時困難重重可想而知。劉氏嘉業堂的購得便是一個絕佳的例子。吳興劉承幹嘉業堂藏書12,400多部，十六多萬冊，其珍貴尤在明代史料的豐富完整，單以明刊本而言，即有1,900多部，約占全部藏書六分之一，最先是民國二十九年五、六月間，傳出劉氏有讓售之意,但索價高至八十萬,八月間有日人委由書商出面洽購，劉氏雖尙深明大義，不願步皕宋樓後塵，但應付極爲困難，日人甚至還價至六十萬，大有非得不可之勢，同志會諸人只有與劉氏懇商一兩全之計，如日方必欲購買，即將全部藏書析分爲三，上品售歸國家，下品應付日人，中品則向重慶請求增撥經費續購。至二十九年年底，劉氏書目印出後，又多了一些競爭者，書商蠢蠢欲動，美方也想染指，幸而此時行政院增撥六十萬元購書費，與劉氏經過一番討價還價後，到了三十年四月終於大功告成，以二十五萬元選取明刊一千二百多部，抄校本三十多部。（工作報告）。

民國二十九年五月七日文獻保存同志會第二號工作報告書曾提及：「……若我輩不極力設法挽救，則江南文化，自我而盡，實對不起國家民族也，若能盡各家所藏，則江南文物可全集中於國家矣，故此半年實爲與敵爭文物之最緊要關頭也，我輩日夜思維，出全力以圖之。……將來若研究本國古代文化而須赴國外留學，實我民族百世難滌之恥也。政府在抗建時期，百廢俱舉，於此古文化之精華，必亦萬分著意保全。」又，早在同年二月二十日，鄭振鐸致張壽鏞函：「我輩對于國家及民族均負重責，只要鞠躬盡瘁，忠貞堅苦到底，自不至有人疵議，……浪費、亂買當然對不起國家，如孤本及有關文化之圖書，果經眼失收，或一時漏失，爲敵所得，則尤失我輩之初衷，且亦大對不住國家也，故我不惜時力，爲此事奔走，其中艱苦自是冷暖自知，雖爲時不久，而麻煩也極多……。」又三月二十七日函：「我輩愛護民族文獻，視同性命，千辛萬苦，自所不辭，近雖忙迫，然亦甘之如飴。」當時同志會諸人憑堅定信念堅守崗位，如鄭振鐸：「有一個時期，我家裡堆滿了書，連樓梯旁全都堆得滿滿的，我關上了門，一個客人都不見，竟引起不少人的誤會與不滿，但我不能對他們說出理由來。……爲了保全這些費盡心力搜羅訪求而來的民族文獻，又有四個年頭，我東躲西避著，離開了家，蟄居在友人們的家裡，慶弔不問，與人世幾乎不相往來，我絕早的起來，自己生火，自己燒水、燒飯，起初還吃著罐頭食物，後來買不起了，只好自己買菜來燒。在這四年裡，我養成了一個人的獨立生活的能力，學會了生火、燒飯、做菜的能力。假如有人問我，你這許多年躲避在上海做了些什麼事？我可以不含糊的回答他說：『為了搶救并保存若干民族的文獻。』」（鄭氏《求書目錄》）

三

當時文獻保存同志會所搶救到的善本古籍，重要者如下：

1. 《東都事略》一百三十卷，宋王稱撰。宋光宗紹熙間（1190-1194）眉山程舍人宅刊本。

   南宋人所修北宋九朝帝王史，宋刻宋印，作者題「王稱」，傳本「稱」多作「偁」，可藉此改正，目錄後有刊記：「已申上司，不許覆版。」聲明禁止翻印，可見當時刻書事業的發達。

2. 《宋太宗皇帝實錄》存十二卷，宋錢若水等撰。宋理宗時（1225-1264）館閣寫本。

   現今僅存之宋代皇帝實錄，亦館藏最早的官書寫本。內有雌黃塗抹痕跡，再重新寫上正字，各卷卷末記書寫、初校、覆校諸人姓名，以示負責。

3. 《會通館印正宗諸臣奏議》一百五十卷，宋趙汝愚編，明孝宗弘治三年（1940）錫山華氏會通館活字印小字本。

明無錫華燧會通館爲我國銅活字印刷的創制者，此其最早印本，因屬草創，故活字排印極爲參差不齊，墨色不勻，版面模糊不清，卻不失在我國印刷史上所代表的意義。

4.《金石昆蟲草木狀》二十七卷，明文俶女士繪。明神宗萬曆四十五年（1617）至四十八年（1620）彩繪底稿本。

文俶爲明畫家文徵明的玄孫女，此底稿本繪圖一千三百多幅，大抵根據明代內府珍藏《本草品彙精要》及文氏家藏本草圖摹繪而成，爲研究古代我國藥材的罕見資料。

5.《經進周曇詠史詩》三卷，唐周曇撰。影鈔宋刊本（貴陽趙味滄影鈔）。

舊日藏書家珍重宋元版，遇孤本輒請名手臨寫，力求逼肖原書。此本非僅於蟲蛀處勾畫不誤，且描摹清乾隆御印亦幾可亂眞。經筵進講，講論經史，自唐虞歷隋，君臣上下，政治賢否，各詠絕句進上時君。

6.《註東坡先生詩》存十九卷，宋施元之，施宿、顧禧注。宋寧宗嘉定六年（1213）淮東倉司刊本。

宋刻宋印且以編年爲次，考証詳實，清儒翁方綱得此書，喜題其書曰「寶蘇室」。每年東坡生日，設奠祭之，當時名流雅士七十多人競相題詩撰跋，甚或繪圖於每冊護葉。光緒末年書歸湘潭袁思亮，後袁宅大火，藏書被燬，幸家人搶救出，僅傷及各冊周邊。上海圖書館近購得翁萬戈藏本，存三十二卷，可互補。

7.《此山先生詩集》十卷，元周權撰，元順帝至正間（1341-1368）

刊本。

此山詩詞俱佳，集中多與當時名流唱和之作，寫刻精美，爲海內僅存孤本。

8.《宋學士續文粹》十卷附錄一卷，明宋濂撰，方孝孺等選。明建文三年（1401）浦陽鄭氏義門書塾刊本。

明惠帝在位僅四年，後爲成祖反，此惠帝時刊本甚罕見。字仿松雪體，存元建陽刻書遺風，跋文留有空白，前後字體、紙色不一，恐係永樂之後，方孝孺獲罪，因而剜改所致（方孝孺，建文時爲侍講學士，燕師入，召使草詔，孺擲筆於地曰：「死則死耳，詔不可草。」遂磔於市。）。

9.《文選》三十卷，唐呂延濟等五臣注。宋高宗紹興三十一年（1161）崇化書坊陳八郎宅刊本。

此五臣注單行本，宋刊宋印，兼且宋人句讀，而復未經刪削，極富學術價值，字體刀法略帶徽宗瘦金體習氣，屬南宋初期建陽刊本風格。

10.《唐詩》七百一十六卷，一百一十九冊，清錢謙益，季振宜同編。清初錢、季二氏遞輯底稿本。

大抵剪貼明人刊諸唐人集，細加校勘而成，每家各附小傳，爲研究唐詩之重要文獻，「全唐詩」即襲於此。

11.《對客燕談》一卷，明郡寶撰。明嘉靖十五年（1536）姚咨傳鈔秦文齋摘錄本。

護葉有「清道光己酉（二十九年，1849）三月二十九日丁酉吉辰戌刻展讀一過，以血書佛字於首頁保護以免蛀厄。芙川蓉鏡誌」（清張蓉鏡，字伯元，號芙川，常熟人，娶姚氏名畹眞，號芙初女史，其夫婦藏書印曰雙芙閣。《鐵琴銅劍樓書目》：「宋本擊壤集，芙川藏書，卷三冊。首空葉有芙川血書『南無阿彌陀佛』六字，惟願流傳永久，無水火蠹食之災。」）

本館在上海「文獻保存同志會」協助下，搜訪所及，近在蘇杭，遠至北平，至結束，約得書四千八百多部，共用了兩百多萬元，除由中英庚款會補助建館費支付外，不足之數，由政府增撥專款匯付。其時於所購得珍善圖籍，請篆刻名家王禔（王福庵）鐫「中區玄覽」，朱文牙章，隱含中央圖書館的名義，但未鈐上，購得珍善圖書即印入玄覽堂叢書以廣流傳，萬一燬失，不致堙沒。在滬採購的善本，初則郵寄香港，在港大裝箱，以備運美寄存，因在港裝箱，故先蓋本館藏書章，費時三月，又因定船不易，脫誤兩班船期，致香港淪陷，盡被日軍取去，戰後由我國駐日軍事代表團根據藏章取歸。至國民政府撤離大陸，本館奉令裝運善本來台，差不多百分之九十五以上的善本都運來了台灣。

有關本館抗戰期間搶救善本古籍詳情，可參考下列著述：

1. 國立中央圖書館館史史料選輯（國立中央圖書館館刊新十六卷第一期）
2. 蘇精：《近代藏書三十家》附錄〈抗戰時秘密搶購淪陷區古籍末〉
3. 劉哲民：《鄭振鐸先生書信集》（一九九二年上海學林出版社）
4. 沈律：鄭振鐸和文獻保存同志會（國家圖書館館刊，八十六年第

一期）

5. 林清芬：國立中央圖書館與文獻保存同志會（國家圖書館館刊，八十七年第一期）

四

「同志會」在上海所蒐善本最初先郵寄到香港，再轉運至重慶，因轉運費用過鉅，只運過一次，餘下的書便都留在香港。後來局勢危急，準備運美，寄存美國國會圖書館，不料香港淪陷，盡被日軍劫走，戰後經我駐日軍事代表團深入查証，終在東京帝國圖書館地下室及伊勢原鄉下搜獲這批善本。初，香港大學馮平山圖書館主任陳君葆（1898－1982。廣東中山人）當「同志會」所蒐集的善本古籍以香港為中轉站或暫存地時，即協助保管工作，後來香港淪陷，日軍查封圖書館，陳君葆仍在監視下埋首整理其中藏書，不久，他眼見這些善本古籍運離香港大學，憂心如焚。到了戰爭結束，他立刻開追查，在他得知外國友人將隨遠東委員會到日本審查戰爭罪行後，便託請代為留意，終於皇天不負有心人，外國友人來信帶給他於東京帝國圖書館地下室及伊勢原鄉下發現該批善本書的好消息。於是他隨即寫信給當時的教育部次長杭立武，請加速追尋失書，結果，書總算找回來了。

在復員還都期間，如民國三十六年秋，本館購得戰後一部元版朱墨雙色印刷的《金剛經》，報紙披露後，引起版本學者的興趣。又如宋書棚本《南京群賢小集》六十冊，爲鎮庫之寶，過去流傳的南宋江湖詩集，都是以毛晉汲古閣所謂影宋鈔本輾轉傳錄，明清幾百年間沒有見過宋版。抗戰勝利後，此書忽在上海出現求售，但索價過昂，本館無力收購，後開國元老吳雅暉、張溥泉以爲國寶應收歸國有，乃聯名致函蔣委員長，奉批交本館，照價購買。當時通貨膨脹，國幣貶值，此書係以黃金議價，付款時按當日黃金牌價折算。此書係以專款購得，送往審計部核銷時，經辦人員簡直不敢相信，此六十冊書竟需如此巨款，他說假如不是有蔣委員長手諭，沒人敢同意核銷。

民國三十七年徐蚌會戰後，江南情勢緊張，本館善本書與故宮博物院、中央博物院、中研院史語所等文物奉令運臺，原擬分四批，結果末批未能運出。善本抵台，初存貯台中糖廠倉庫，翌年底，北溝新建庫房落成，始遷霧峰北溝。此時期善本均存置箱中，不便檢閱，工作只在保管，偶爾開箱曝晒而已。在台復館之初，蔣復璁館長探聽到台大蔣祖詒教授收藏雷峯塔出土五代吳越國王錢俶所刻陀羅尼經卷兩份，一再與之情商，希望能讓售一卷給本館，蔣教初未應允，直至民國四十九年大陸出版一套《中國版刻圖錄》，台灣不易得，蔣館長以台幣兩千元委託正中書局在香港購到一部與之交換，始得入藏。

此外，本館又獲得政府所沒收汪僞要員陳群的藏書。陳群，在汪僞政府歷任內政部長、江蘇省主席、考試院長等僞職。南京淪陷後，舊書乏人問津，陳氏開始蒐購，出手大方，同一版本往往有數部。他在上海、蘇州、南京各有藏書處所，而以南京爲中心，藏書樓名「澤存書庫」。日本投降後，陳氏召澤存書庫負責人丁寧女士至內室以後事相託，丁女士辭出，陳氏即服毒自盡。丁寧，揚州人，自陳氏自盡後，至中央接收南京尙有近月時間，她將大門緊鎖，禁止任何人攜物外出，其中有職員欲盜賣之不得，以言恐嚇，丁不爲所動。

五

總而言之，館藏善本古籍約有如下特色：

1.網羅日本著名藏書家精品；2.同一名家著述，往往蒐集若干不同版本，足資校勘；3.複本多，經過對照，凡書奚作僞即易確定；4.明代文集和史料最爲豐富，千頃堂書目、四庫全書總目所未著錄者，不在少數。

最後，略述目前本館已編目入藏的重要古籍文獻如下：

1.善本12,000餘部，126,000餘冊，其中包括敦煌寫卷152卷，宋版175部、金版6部、元版272部、明版逾6,000部，鈔本近3,000部，稿本及批校本各500部左右。
2.普通本線裝古書逾9,000部，約109,697冊。
3.嚴靈峯教授捐贈無求備齋諸子書約11,400冊。
4.金石拓片近6,800多種，12,000幅左右，其中金文全形拓片720種極富價値；又，造像石刻拓片近200種，四川畫像磚拓片逾150種，墓誌拓片約2,800多種，屬唐人者1,900種。
5.居延漢簡30枚。

6.土地契卷19種。

7.名賢墨寶，如董其昌書〈醉翁亭記〉、清三百年來樸學于翰、梁啓超知交手札等。

8.清末民初舊報，如申報、時報、中外日報、民呼日報、國民日日報、蘇報、神州日報及新聞報等8種。

9.民俗版畫近2,000幅，大抵爲四川綿竹、河北武漢、河南開封、山東濰縣、陝西鳳翔各地年畫。

10.版片印模63件。

11.古籍文獻微縮品逾41,779捲（片），源自本館及他館的珍藏。

12.皮影戲腳本23種、說唱鼓詞228種，均屬俗文學。

13.日人攝製的早期中國大陸風土明信片約8,000張、日據時期台灣風土明信片約4,000張。

14.行政院、內政部、交通部、王化民委員、袁孝俊先生、齊熙先生、葉學晳先生、胡道言先生、王東明女士、許晴野先生等公私捐贈。

傅斯年圖書館所藏典籍文獻

吴政上

大家好，我是吳政上。我從1987年進入傅斯年圖書館，接任館長大約是這兩年的事情。剛才與吳文津教授聊到，吳教授說傅斯年圖書館的蒐藏相當好；我想除了本所所長傅斯年先生在立所之初即重視研究材料的蒐集外，本所老前輩們的遠見與歷年來共同的努力是有著相當大的關係。的確，他們蒐書蒐的好。史語所在大陸時期（1928-1948）短短的二十年間曾遷徙過很多次（廣州→北平→上海→南京→湖南→雲南→四川），那是國難頻仍的時代，此一時期要從事研究以及資料蒐集的工作是備感辛苦的。自1948年冬本所遷到台灣以後，一大部份的工作就是針對這些館藏（包括考古文物、標本、圖書、史料等等），看要怎麼樣好好地整理，好好地研究、利用。近年來，我們以爲整理的目的除了將資料妥善保存以及在館提供閱覽之外，也希望透過典藏數位化的技術讓這些資料能夠更容易且無遠弗屆地被使用，同時，也希望透過全文化的做法，能夠在廣泛的史學研究上提供更有用的新工具。

此外，史語所公家檔案以及私人往來文書保存得也很好，內容也非常豐富，甚至有些相關機構在編纂他們的歷史或清點他們的東西時，也常會借用、參考史語所的檔案。爲了這次的演講，我花了些時間從史語所的檔案中整理出有關傅斯年圖書館蒐藏的資料，同時，爲了參考〈國立中央研究院歷史語言研究所所史資料初稿〉，也曾動手進行該初稿的建檔工作。我希望能透過這樣的整理與認識，使本次演講更爲充實些、有趣些，也期望這次整理的成果有朝一日也能刊佈於世，提供學界使用。今天我所要介紹的內容大概分爲幾個部分：

一、史語所立所精神：舊域維新
二、典藏的蒐集與開發：集眾的與個人的工作
三、史語所現有藏書特色：採購主題與分工工作
四、蒐藏逸事：內閣大庫、明實錄、群碧樓、東方文化事業總會
五、數位典藏

一、史語所立所精神：舊域維新

首先，就從史語所的立所精神談起。在1927年4月國民政府定都南京，在中央成立大學院，掌理全國研究與教育的工作。5月，大學院議設「中央研究院」；11月，通過〈中華民國大學院中央研究院組織條例〉，確定中央研究院爲國家最高科學研究機構。在當時，中央研究院成立的研究單位中並沒有「歷史學門」的研

究所。傅斯年先生自歐洲留學回來之後，在廣州的中山大學任教，也是中央研究院的籌備委員之一，他很希望能夠成立一個從事歷史及語言的研究單位，他認爲歷史語言的研究應該是可與自然科學的研究一樣等量齊觀的，也就是能夠利用科學方法來從事歷史及語言的研究，於是與蔡元培先生討論關於成立這樣一個由蔡院長直接管轄的「所」，也獲得首肯，並由傅斯年先生在廣州主持籌備工作。傅斯年先生與顧頡剛先生是好朋友、有同學的關係、又同時在中山大學任教，早期的他們也都很關注「古史辯」的問題，希望能將中國的古史重新翻一過，彼此志同道合，因這緣故顧頡剛先生、楊振聲先生也成爲「歷史語言研究所」的籌備委員之一，共同擬具了兩篇重要的文獻：〈歷史語言研究所籌備辦法〉以及〈歷史語言研究所工作之旨趣〉。

歷史學及語言學在中國算是相當古老的學科（包括文籍考訂之學），比較重要的發展大概是在清乾嘉時期。傅斯年先生雖然留學歐洲是作心理學研究題目的，但本身對於歷史學及語言學的研究都有相當深厚的底子，他在成立史語所的時候就說了一段語重心長的話，他說：「此研究所本不是國學院之類，理宜發達我國所能歐洲人所不能者，如文籍考訂等，以歸光榮於中央研究院。同時亦須竭力設法將歐洲人所能我國人今尙未能者而亦能之，然後國中之歷史學與語言學與時俱進。」此時的傅斯年先生還是相當年輕的，約三十幾歲。當時科學的中國學的重鎭在歐洲法國，他認爲這個中心應該回到中國來。這是他的雄心壯志與期望，希望「要科學的東方學之正統在中國」。傅斯年先生認爲東方學不應該假手外人，而應該是由我國自己建立起來。當時的作法：一是要邀集重要的人才從事研究（如陳寅恪、陳垣、趙元任、李方桂、李濟、董作賓等等，大部份都是留洋的學者，手上握有「新工具」。）因爲人才寓有科學的研究態度與方法在內；一是要廣泛地蒐集第一手材料，他們強調蒐集的材料必須都是第一手的，傅斯年先生甚至認爲史語所若沒有自己的材料就算不上是一個研究單位，充其量只是一個噉飯所而已。他們高唱「歷史學即史料學」，「強調歷史的實證性質，一分材料出一分貨；十分材料出十分貨，沒有材料便不出貨。」以矯正空泛無根之論。當時本所的老前輩（包括傅斯年先生、陳寅恪先生、李濟先生等等）都希望能在中國學術界有所作爲，他們的企圖心是非常強烈的，我們可以在他們之間的來往文書中，到處都可以感受到這樣的語氣。他們對當時的歷史研究或語言研究方面也確實具有激勵與實踐的作用。

二、典藏的蒐集與開發：集眾的與個人的工作

當時所從事典藏的蒐集與開發的工作，分集眾的工作和個人的工作。集眾的工作主要是圍繞在史語所當時的幾個重要典藏；第一項集眾的工作是考古挖掘。殷墟的發掘，自1928、29直到30年一共進行了十五次之多。這是我國學術史上一個非常了不起的成就，包括中國文字追溯到甲骨文，並提供了上古史研究的珍貴材料。從清光緒中農民挖掘到龜甲獸骨當作藥材，到後來經過羅

振玉、王國維等的研究，而王國維是將它當作歷史的資料進行研究較早的一位學者。當時農民的挖掘是零散的，同時也破壞了地層。1928年李濟先生接續董作賓在殷墟的發掘工作，以科學的方法從事考古挖掘。他所注意的不只是有文字的甲骨，甚且還包括整個地層的關係。因爲地層本身是具有文化層的關係的。所以，這次科學的考古對於中國「考古學」而言是一項很大的變革，對中國古史研究也具有開創性的意義，這樣的成績獲得海內外學術界相當的肯定；這樣的開挖也爲中國考古學建立穩定的基礎。

另一項集眾的工作就是語言的調查。早期的研究以文字和聲韻較多，方言除了漢代輶軒史的蒐集，後來似乎也沒有較大規模的進行，而官方的研究大概從事類似《廣韻》的也比較多。1929年以後，趙元任先生回國主持第二組（語言學及民間藝文），才以科學方法從事較大規模的方言調查工作，這有如民俗人類學家一樣，四處去做田野調查。最初的調查主要是在廣州地區，一則以地利之便，二則在本所成立時，傅斯年先生在擬定研究大綱時所提到南洋學研究這個項目。南洋地區人種多，語種也多，也包括自然（植物、動物）的蒐集。本所在廣州時，從廣州的周邊開始進行調查；中日戰事起，本所遷往四川，本組同仁便沿著遷移的路線，重點式的調查，待定址後，開始在西南地區從事語言的調查。他們以紀錄語音的科學方法從事調查，在各省方言調查，完成湖北、湖南、廣西、江西、安徽各省方言的研究，獲得相當重要的成果。以史語所在1930年到1940年之間的的出版品（集刊及專刊）來看，主要還是以語言調查的報告較多。

另外一項集眾的工作就是人類學的調查。主要在山東地區、西南地區進行。另一項集眾的工作是俗文學資料的蒐集與調查。最早本項工作的主持人是劉半農（劉復）先生，帶領李家瑞等人從事俗文學資料的蒐集，資料的涵蓋的地區包括大江南北，時間從清乾隆時期到民國初年，內容包括地方戲、崑曲等等，有大戲也有小戲，蒐集的方式有以文字直接紀錄或分頭搜購，另外甚至還請行家演唱或演奏以便進行錄音工作。劉復先生對於工藝製作也相當感興趣，甚至想仿造有名的戲園，塑造模型。此外，劉復先生還設計並製造測量太陽的模型，本所目前還保存了劉先生在1935年設計的一個測量器。那時從事俗文研究的觀念大概都是要到民間去，五四之後使用俗文資料的眼光是往一般平民社會的研究發展的。例如王汎森先生所寫的文章涉及平民的發掘，也就是把歷史的眼光例如民俗，放到平民的研究上。這些研究通常不以文學的角度著手，而是以它作為研究中國底層社會史或民間史的第一手材料。因為包括這些戲文，都有教化的功用，當然也表現民間情感的發抒，所以要了解民間底層的生活，從這些第一手資料是相當重要的。因此有一批人從事這方面的工作，也做了很多。

另外一項集眾的工作就是內閣大庫檔案的整理。內閣大庫是在清朝敗亡，民國建立以後，從清宮內府流出來的檔案資料。目前本所蒐藏的內閣大庫檔案原是中國歷史博物館的藏品，當初中國歷史博物館賣出這批檔案的理由很簡單，共因「空間不足」。該館將館藏檔案經過挑選，樣子比較完整的就留下來，樣子不好的就賣出去。起初要賣給紙場，作為迴魂紙的材料，羅振玉發現後便買了回去，挑選一些比較重要的史料分集出版。後來羅振玉又將這批資料賣給了李木齋，就是木樨先生李盛鐸。李盛鐸處理該批資料的態度和羅振玉是不一樣的，他大約只是想從這批紙堆當中找些宋版書來，即使殘葉也好。確實，大清內府送出這批檔案裏頭是還有一些書本子，其中也包括了不少宋版書。後來，史語所在整理該批檔案時，也陸陸續續發現了一些宋元版殘葉也有一千多張。史語所當初這方面的負責人是馬衡先生，1927年馬先生曾對蔡元培先生及傅斯年先生說明希望能將這批檔案買下來，提供研究之用。當時也有一個較急迫的問題，就是接洽要購買這批檔案的還有其他兩個單位，一個是日本的滿鐵公司，他們想買了之後要運回日本的。李木齋收藏的一些敦煌卷子就是賣到日本去。另外一個就是燕京大學，他們對這些檔案也有相當的興趣。陳寅恪先生也以寫了信，催促傅斯年先生趕快將這些東西買定。1928年，大學院以一萬八千元之譜向李盛鐸買下，交給史語所，而整理的工作則委託陳寅恪先生和徐中舒先生辦理。我想如果這批材料也被賣到日本去，相信這對於我們從事學術研究工作必然會造成相當大的困難。就以近幾年本所無論以購買或複製等方式，向日本蒐集學術研究材料爲例，不但所費不貲，有相當部份甚至無法取得。我想在台灣地區從事研究的單位，不管是近代的或者是古代的，想從日本方面獲得材料大概和我們一樣都是要耗費相當大的心力和財力，才能弄得回來。但可幸的是，這批檔案總算是留在史語所了，而本所做了一些整理的成果，也分別刊布於世

（1930-1975年間，出版了《明清史料》甲至癸編100冊；1985-1996年與聯經合作

出版了《明清檔案》370冊；目前改採光碟媒體出版。）。

另外一項集眾的工作就是明實錄的整理。這是因爲在整理內閣大庫時發現裡面有幾冊明崇禎朝的實錄，陳寅恪先生和傅斯年先生認爲應該對明實錄從事一些校勘的工作。這是從內閣大庫檔案中找到《明實錄》的殘本而衍伸的集眾工作。當初他們做了很樂觀的估計，以爲《明實錄》的整理可以在兩三年之內做完，後來沒想到一拖大概也費了三十幾年的工夫。這是因爲後出資料來源越來越多，校勘工作也越做越精細複雜。一直到1962年底，在黃彰健先生的主持下完成，並正式出版了校勘本《明實錄》三千四十五卷，附〈校勘記〉29冊。（又於2000年完成電腦全文建檔初稿，待校訂完成後可對外開放。）這當中有個小故事涉及到李晉華先生，李晉華是傅斯年先生在中山大學教學時一位很優秀的門生，傅斯年先生派他整理這些材料時，李先生身體本就不好，而對自己要求又非常高。就因爲本來身體又不好，又十分拼命地工作，同時他還跑到上海去教書，結果工作沒幾年時間就病逝了。我們看到經過李先生處理的實錄稿本，批校得密密麻麻的，可見他用功的程度了。所以希望在座的讀書人也要放輕鬆一些，不要像李先生一樣，身體沒有照顧好，有一些重要的研究成果恐怕也跟著他走了。再提醒一次，讀書人有時也要放輕鬆一些。

在集眾工作之外，本所的另一項重點就是個人的研究，當年傅斯年先生擬訂的幾個主題，要求以集眾的方式進行研究，同時，傅斯年先生也容許研究員依照自訂的主題去研究，並且賦予成名的研究員一項責任，就是分別輔導剛從大學畢業的新進助理員及練習助理員，以提升這些「拔尖的」學生的學識能力，以期能獨立從事研究工作。以上所說的集眾的與個人的工作，大概就是史語所在研究工作方面兩個比較大的分別。

三、史語所現有藏書特色—採購主題與分工工作

緊接著想介紹一下史語所藏書的幾種特色。首先概括地了解一下當初史語所發展館藏的幾個主要方針。當年根據傅斯年先生手訂以及後來幾次修訂的購書範圍進行建立館藏的工作，範圍包括：「一、叢書及一人自箸全書。二、金石書，全買。三、小學書、字書、韻書等，全買。四、類書。五、明清掌故書及官書。六、明清文集，特別注重嘉靖以後乾隆以前。七、清代史學漢學家集。八、未刻抄本。（不拘類）九、希見之小說、戲曲及唱本。」又「凡不在此範圍，但甚希見者，可併送。但不涉掌故之詩文集不必送。凡已有影印之書，買影印者。」

第一要事就是購置叢書以及一人的自著全書。的確，就傅斯年圖書館現藏的叢書來看，不但是品類相當整齊，同時也都是非常實用的叢書，這對研究而言是有大幫助的，在座同學如果在研究上有需要的話，歡迎到傅斯年圖書館來善加利用。

第二件事就是買金石書。史語所對於金石材料的蒐集是相當重視的，除了傳統金石書的蒐藏之外，也蒐集了些所謂的金石文字—拓片。本所除了向金石藏家（如柯昌泗、劉體智等）、古書店購

買外，也有研究員趁田野調查之便，自行椎拓的；內容包括漢書象、北朝至唐造象、歷代墓誌、全形拓與金文拓片、甲骨拓片等等，據統計本所蒐藏的拓片也大概有四萬張之多。這跟採購金石書的題目是有相當大的關係，現在不但是本所相當重要的館藏，同時，本所同仁也與所外學者合作進行若干主題的讀碑班與研究的工作。本所涉及金石的研究也有一個小插曲可以向大家說說，就是馬衡先生在當時是位金石學名家，但史語所未聘用他爲研究員，主持考古組組務，主要是因爲馬先生將「考古」的研究重點放在傳統的金石學上。以往不管是博古的或是考古的，都算是早期傳統的金石學研究的範圍。史語所卻聘用了剛從美國回來沒多久的李濟先生主持考古組組務，也因此，中國現代化的考古學才有了好的開端。

第三件事是小學書、字書與韻書的蒐集。當時，羅常培先生從事聲韻的研究（包括《廣韻》等題目），另外包括字書的研究也是和甲骨文連結起來的。當時對於小學的字書、韻書是相當重視的，所以目前這部分的藏書也買了不少。

第四件事是買類書。類書之所以特別提出來是因爲類書含蓋了很多可以做輯佚的。輯佚的部分，包括《永樂大典》或《古今圖書集成》等，這些類書所收錄的書很多是現在沒有流傳的，我們必須從這些類書中找出研究材料出來。類書的使用在史語所的研究過程中被使用的頻率是非常高的，例如王叔岷先生做《莊子》、《史記》等校勘工作，或者是王利器先生所做的研究等等，都經常使用到類書。因此，他們對於類書的蒐集是相當重視的。當然，他們在使用類書跟皇帝或者是士子的使用在角度上是不一樣的，他們大約是把類書當作第一手材料來用，所以本所對類書的採購以及蒐藏也相當豐富。

第五件事是買明清掌故書及官書。這掌故書或官書與他們所標榜蒐集第一手材料也有相當大的關係。

第六件事是買明清文集。文集的種類在時間上也有一個限定，當初規範要買的文集是集中在明嘉靖以後到清乾隆以前，這當然與明代文獻與乾嘉學術彼此之間也有一定的關係，所以把時間限定在這個時候。

第七件事是買清代史學及漢學家集。這當然與從事史學及漢學研究的乾嘉學者也有相當大的關係。

第八件事是要買的書盡量是未刻的抄本，這一條件就沒有所謂類的限制了，這些所謂未刻的抄本通常是作者的稿本或是唯一的。他們要找的東西通常就是所謂「唯一的」。

第九件事是買戲劇、小說、戲曲及唱本。這部分的範圍，「為歌謠、傳說、故事、俗曲、俗樂、諺語、謎語、縮後語、切口語、叫賣聲等。凡一般民眾用語言文字音樂等表示其思想情緒之作品，無論有無作用，均屬之。」這與劉復先生所做的研究題目有相當大的關係，而傅斯年先生對王國維關於宋元戲曲研究的那本書也相當有興趣，認為要做社會研究是可以從戲曲材料來進行，這也與劉復等人的看法非常接近。他們依據這一範圍，分頭進行徵集、採錄的工作。

另外，還需要進一步說明的是有關詩文集的部分，雖然之前提到文集以嘉靖到乾隆之際爲限，但還有一個條件就是如果這詩文集沒有牽涉到掌故的，也不收它。也就是如果詩文集只是酬唱的，只共彼此應酬的，我們就不收它。這也是他們蒐書的一種態度。

史語所的蒐藏還有一個特色可以說說。從版刻的角度來看，現藏古籍中屬宋版、元版的書並不算多，史語所購書的重點放在盡量擴充文本。當時也許是因爲經費困難，所以好的本子如果有影印本的，就買影印本，不會肯花大錢去買那原本。就目前本所蒐藏而言，在古籍方面以叢書、文集以及方志最具特色，希望這批館藏能提供在座各位在研究上有比較好的幫助。

再來就是涉及到買書的問題，史語所的圖書採購以專業分工爲原則。在1930年12月的所務會議中決定了買書的方式，這跟現在傅斯年圖書館買書的方式是大致上是一致的。「本所購置圖書，應請全所同仁負責進行，所有各研究員、編輯員應將各組個人及公共研究範圍內之書籍，開列詳細目錄，以便選購。」當時並依據擬定的幾個研究主題，分別指派人員進行採購。分工方式爲「㈠關于語言學書目，由趙元任、劉復、羅常培及李方桂擔任；㈡關于明清史料，由朱希祖擔任，因爲他是明清史研究的重要學者，在材料的掌握上非常準確；㈢關于文字方面的書籍，由丁山、董作賓、徐中舒擔任；㈣關于明清以來筆記，由陳垣、徐中舒擔任；㈤關于叢書及近代考訂家集，由傅斯年、丁山、徐中舒擔任；㈥關于西人之東方學，（他們反對用國學、漢學這兩個字眼。）由陳寅恪、傅斯年擔任；㈦關于四裔語言學，也就是中國周邊民族的語言學和國外的語言學的材料，由陳寅恪、李方桂擔任；(八)關于考古學及人類學，由李濟、梁思永擔任；(九)關于書目目錄及普通書目，由傅斯年、徐中舒擔任。當然張政烺先生參與這部份的工作；(十)雜誌，由同仁各就所知者開列；(土)關于通行俗曲及有精巧技術之雕版書籍之書目，無從開列，由劉復負責搜集。」

我之所以引述這一段文字，目的是在由此可以知道他們選書的辦法以及興趣是放在什麼位置上。還有，他們對於書的蒐集是具有組織性的，以現代圖書館學的採購作業來講，就是相當於聘請所謂的書目專家來進行選書的工作。就我所看到的若干檔案，有許多是關於什麼東西指定由誰買，由誰來負責，幾乎都是出於他的手筆。傅斯年先生雖然從事史學、文學的研究，但在圖書館學採購方面也掌握得非常好。就我所看到的書單與名單雖然是他們集眾所討論出來的結果，但隱隱約約可以發現都有傅斯年先生的意思在其中。傅斯年在同輩以及後輩的眼中，他做事是大刀闊斧又很心細。凡事幾幾乎是事必躬親，掌握得也非常準確，做事又非常細心。所以我想這是傅先生能夠得到蔡元培先生及胡適先生讚賞的原因吧，同時也能夠得到同輩之間較大的讚譽，我想這與傅先生本人的工作與行政能力有相當大的關係。我想這也是傅斯年先生在大陸時期可以以史語所所長的身份，同時兼任北大文學所所長；到台灣來，同時要做台大的校務，又要做史語所的所務。他一個人經常要兼若干職務，這也就罷了，他在政治上還有委員的職務，因此在政治上也有一定的影響力。在史語所的檔案也真的是有一些政治材料在裡面。史語所的檔案已經陸陸續續在整理，假如大家有興趣，不管是在做學術史的、近代史的、或是當代政治的，史語所裡面或許可以找到比較有趣的東西。大家有空的話可以到史語所去看看。我們的檔案大概在 Internet 都可以查得到，歡迎大家儘量去使用它。

四、蒐藏逸事—內閣大庫、明實錄、群碧樓、東方文化事業總會

緊接著下來，我想就史語所蒐藏的幾件東西來跟大家談一下。剛才已談到內閣大庫檔案，那時候積極要買下這批檔案是與馬衡、陳寅恪、傅斯年幾位先生比較有關係。當然，史語所在當時並沒有什麼錢，而傅斯年先生有一個大才能就是很會要錢；他要錢的對象就找蔡元培先生要，大概是因爲要錢都是爲了買書買材料的，所以蔡元培先生對他通常同意，也放手讓他處理，對他也不太干涉。反正就是你要錢我盡量給你，大概是採取這樣的態度吧。有關買檔案的事，傅斯年先生是這樣講的，他寫了一封信函給大學院，大概是說請大學院用大學院的錢去買，然後以大學院的名義送給史語所。其實史語所現藏的幾件重要收藏大約都是傅先生以這樣的方式蒐進來的。傅斯年先生的的確確是一個很會撈錢的所長。當初，內閣大庫檔案是已經過歷史博物館選了品相較好的，羅振玉選了些史料，再經過李木齋挑走了些版刻書所「剩餘的」，大概裝了所謂七千麻袋。（一說是八千麻袋。）他們連斤兩都記下了，大約是十萬餘斤。史語所以一萬八千元到兩萬元之譜買了這一批

材料回來。現在史語所整理這些材料，也出版過紙本的，目前主要是進行數位掃描的工作，而原先與聯經合作出版的紙本目前也已經停止了，而改採以光碟方式出版。就我所了解的，這批材料的使用率頗高，尤其是來自美國及日本的學者。另外台灣學者（包括本所研究同仁）利用這批材料研究的也不少，從事的研究題目也有幾個，包括「台灣研究」似乎已經成爲顯學，爲配合其他單位的需要，我們也從這批材料中選出有關台灣的檔案，並且予以編目出版。另一個主題就是史語所同仁現在進行「生命醫療」的主題，我們也從該批檔案中選出相關的材料來；另外，也有同仁研究刑案，例如什麼時間誰殺了誰，發生什麼事等等，我們也以這樣的主題進行整理工作。所以史語所做的事大概就是以學界需要的若干主題或是本所研究的若干主題盡量把所有相關的材料彙集起來，提供出來，讓學者有一個比較好下手的途徑。

再一件事情就是剛剛提到的校刊《明實錄》。這件事情大概從1934年開始來辦理，那時候由徐中舒跟李靜華來辦理這樣的一個事情。也是一直到1968年才出版整個校刊的《明實錄》，花了三十幾年的時間。目前出版校刊的《明實錄》之外，也做了所謂電子版的。電子版在使用上因爲《明實錄》裡面其實有許多有趣的東西，包括像我們在看永樂大典，因爲最近也在弄一個和永樂大典有關的東西，所以我也會去翻。那永樂大典有若干的纂修人的傳記資料我們在文獻上是看不到的，可是它就在《明實錄》裡面。假如你用全文檢索的方式很快的能夠透過幾個條件，能夠把它相關資料作出來，就是所謂漢籍全文資料庫在研究的補助上上是一個重要的。所以我最近就用了一些《明實錄》的，就是全文版的方式來進行一些資料的蒐集。

另外就是群碧樓藏書。群碧樓是清末民初藏書家鄧邦述的藏書樓。倫明有一首評論他的詩：「半生仕宦為書窮，可奈書隨債俱空。群碧徒知尊古本，一篇釋骨語懵懵。」大約是批評鄧邦述是一個只知道尊古本，於近代刊本情形則搞不清楚的人，認為鄧邦述的目錄版本學是「弇陋」的，但是鄧邦述的藏書也的確有一些好書。鄧邦述晚年大概是沒錢了吧，為了還債所以就賣書。鄧邦述的蒐藏是分了幾次賣出去的，大體上較大一部分的珍藏賣給了中央研究院。在1935年間中央研究院將該批善本書撥給史語所用。這批書裡頭也有相當多的宋版書，甚至還有一種是文瀾閣四庫全書的原本（宋·王洋撰東牟集十四卷），史語所蒐藏的四庫全書原件也只有這一種分八冊。當年，張元濟在主持商務印書館時也一直希望能和傅斯年先生合作，能盡量利用這批書來出版印行。實際上是出版了一些，後來卻因為抗戰，整個事情也就停頓了下來。

另一個比較重要的蒐藏來源就是接收當初以日本退還給中國的的庚款，在中國開辦若干的文化事業，成立了東方文化事業總會、東方文化研究所等單位的藏書。當時，他們做了幾件事情，其一，是「續修四庫全書」，於是開始在中國蒐集相當多的四庫全書所未收以及清乾隆以後的著作；另外也聘請當時著名的中國國學的學者，做造四庫全書纂修的方式進行提要撰寫及選目的工作。這批書包括經、史、子、集、叢及方志書約15,420部168519冊，碑拓本及地圖5,632幅，中國輿圖36軸，漢熹平石經殘石100塊，續修四庫提要33,733篇之多。本所接收後，派張政烺等先生選出四十箱，約一萬多冊運回在南京的史語所（我們稱之爲「善東」藏書。）其二，成立自然科學圖書館，這個自然科學圖書館所蒐藏的書與日本的南洋研究有相當大的關係，這與日本要進行殖民政策有關。（日本打算要進入某一個地方殖民時，對於當地的調查跟文獻的蒐集是不遺餘力的）包括方志、家譜、族譜、以及水文調查、戶口調查等等，他們都是非常綿密的蒐集，而這些材料當初就蒐藏在自然科學圖書館內，藏書28,503種83,745冊；又散存各室和未編書亦有20,143冊之多。以上藏書在本所離開北平時，除了已對外開放閱覽外，其他的都委託北京大學代管。

五、數位典藏

本所自1984年開辦「漢籍全文資料庫計畫」，先從廿五史開始全文建檔。1988年，開始辦理典藏數位化的工作，項目包括「傅斯年圖書館善本書全文資料庫」、「內閣大庫檔案資料庫」、「金石拓片與其他媒材古文書資料庫」、「考古發掘、標本照片、記錄與檔案資料庫」等。其目的，一則爲避免典藏文獻的原件因重覆性使用而受損、延其壽命，再則可藉由現代通訊與電腦技術的發達，提供學者與典藏之間更新、更快、更便捷有效的交流管道，是爲「新其工具」的作法。目前，本計畫己列入行政院國科會「國家典藏數位化計畫－歷史語言研究所珍藏數位典藏計畫」，進行較具規模的數位化工作。

至於善本、內閣大庫檔案，史語所在1995年，採用影像數位掃描的方式儲存該批檔案；1998年，建置「內閣大庫」網頁http://saturn.ihp.sinica.edu.tw/~mct/newpage1.htm，提供讀者在傅斯年圖書館進行書目及影像檢索；2001年，開放國內線上閱覽與列印的服務。

國家圖書館出版品預行編目資料

書林攬勝：臺灣與美國存藏中國典籍文獻概況——吳文津先生講座演講錄

淡江大學中國文學系主編. – 初版. –
臺北市：臺灣學生，2003[民 92]
面；公分

ISBN 957-15-1177-3 (平裝)

1. 文獻學 – 論文，講詞等

011.07 92006751

書林攬勝：臺灣與美國存藏中國典籍文獻概況——吳文津先生講座演講錄

主編者：淡江大學中國文學系
出版者：臺灣學生書局
發行人：孫善治
發行所：臺灣學生書局
臺北市和平東路一段一九八號
郵政劃撥帳號：00024668
電話：(02)23634156
傳真：(02)23636334
E-mail：student.book@msa.hinet.net
http：//studentbook.web66.com.tw

本書局登記證字號：行政院新聞局局版北市業字第玖捌壹號

印刷所：宏輝彩色印刷公司
中和市永和路三六三巷四二號
電話：(02)22268853

定價：平裝新臺幣一六〇元

西元二〇〇三年五月初版

01112

ISBN 957-15-1177-3 (平裝)

臺灣 學生書局 出版

文獻學研究叢刊